El sello HCBS identifica los títulos que en su edición original figuraron en las listas de best-sellers de los Estados Unidos y que por lo tanto:

- Las ventas se sitúan en un rango de entre 100.000 y 2.000.000 de ejemplares.

- El presupuesto de publicidad puede llegar hasta los u$s 150.000.

- Son seleccionados por un Club del libro para su catálogo.

- Los derechos de autor para la edición de bolsillo pueden llegar hasta los u$s 2.000.000.

- Se traducen a varios idiomas.

A SU MANERA

Barbara Taylor Bradford

A Su Manera

TRADUCCIÓN:
EDITH ZILLI

EDITORIAL ATLANTIDA
BUENOS AIRES • MEXICO

Adaptación de tapa: Pablo J. Rey

Título original: HER OWN RULES
Copyright © 1996 by Barbara Taylor Bradford
Copyright © Editorial Atlántida, 1997
Derechos reservados. Primera edición publicada por
EDITORIAL ATLANTIDA S.A., Azopardo 579, Buenos Aires, Argentina.
Hecho el depósito que marca la Ley 11.723.
Libro de edición argentina.
Impreso en España. Printed in Spain. Esta edición se terminó de imprimir
en el mes de setiembre de 1997 en los talleres gráficos
Rivadeneyra S.A., Madrid, España.

I.S.B.N. 950-08-1822-1

A Bob,
con amor

CONTENIDO

PRÓLOGO

TIEMPO PASADO

La niña estaba sentada en una roca alta, a la orilla del río, con los codos en las rodillas y el mentón en las manos. Permanecía completamente inmóvil, fijos los ojos en la familia de patos que nadaban en círculos en el agua oscura.

Tenía los ojos grandes y solemnes, bien separados, de color verde agrisado; la carita, seria. Pero de vez en cuando una sonrisa le torcía la boca al contemplar los retozos de los patitos.

Era un luminoso día de pleno verano.

El cielo formaba un arco de un azul penetrante, que no manchaba nube alguna; el sol, una perfecta esfera dorada; en esa tibia tarde estival nada se movía. Ni una brizna de hierba, ni una hoja; los únicos ruidos eran el leve zumbar de una abeja entre las rosas que trepaban por una decrépita pared de ladrillos y el chapoteo del agua en las piedras moteadas que formaban el lecho del río.

La niña estaba fascinada por la vida silvestre del agua; su concentración era tan intensa que apenas se movía. Sólo al oír su nombre se movió para echar un rápido vistazo por encima del hombro.

De inmediato se puso de pie, agitando la mano hacia la mujer que se había detenido junto a la puerta de la cabaña, apartada del río.

—¡Mari! ¡Ven! ¡Entra! —llamó la mujer, haciéndole señas mientras hablaba.

Mari tardó apenas un momento en abrir el portón de hierro del muro; un momento después corría por el camino de tierra, agitando las piernecitas regordetas a toda velocidad.

—¡Mami, mami, volviste! —exclamó, lanzándose a los brazos extendidos de la mujer, casi tropezando en su prisa por llegar.

La joven recibió a su hija y la abrazó con fuerza.

—Traje algo rico para el té —murmuró. Luego, súbitamente seria, miró la carita luminosa de la niña. —Te dije que no bajaras sola al río, Mari; es peligroso —la regañó. Pero lo hizo con suavidad, sin que su expresión dejara de ser tan cariñosa como siempre.

—Sólo me siento en la roca, mami; no me acerco a la orilla —respondió Mari, elevando los ojos hacia los de su madre—. Eunice dijo que podía ir a ver los patitos bebés.

La mujer suspiró por lo bajo. Luego irguió la espalda, tomó a la niña de la mano y la condujo hacia el interior de la cabaña. Adentro, sentada en una silla en el extremo opuesto de la cocina, una muchacha estaba leyendo un libro.

—Eunice, no quiero que Mari vaya sola al río. Bien podría resbalar y caer, ¿y dónde estarías tú entonces? ¡Ni siquiera te enterarías! Ya te lo he dicho mil veces. ¿Me escuchas, Eunice?

—Sí, señora Sanderson. Disculpe. No volveré a dejar que vaya sola.

—Eso espero —dijo Kate Sanderson en tono neutral. Sin embargo, la expresión de sus ojos no dejaba lugar a dudas de que estaba preocupada.

Giró abruptamente para llenar la tetera de agua, la puso en la hornalla y encendió un fósforo.

La muchacha cerró el libro con brusquedad y se levantó.

—Bueno, señora Sanderson, me voy, ya que usted ha vuelto.

Kate asintió.

—Gracias por cuidar a la niña.

—¿Quiere que venga mañana? —preguntó la adolescente, con voz malhumorada, mientras cruzaba la cocina—. ¿O puede arreglarse sola?

—Creo que puedo. Pero me sería útil que vinieras el viernes por la mañana, por favor. Por algunas horas.

—De acuerdo. ¿A las nueve?

—Perfecto —respondió Kate, obligándose a sonreír, aunque todavía estaba algo irritada con la jovencita.

—Adiós, Mari —saludó Eunice, sonriendo a la niña.

—Adiós, Eunice. —Mari agitó a modo de saludo los deditos regordetes.

Cuando quedaron solas, Kate ordenó a su hija:

—Ve a lavarte las manos, Mari, sé buena. Después tomaremos el té.

La pequeña, obediente, subió hasta el baño, donde se lavó las manos y se las secó. Pocos segundos después regresó a la cocina; ésta era el corazón de la casa, la habitación que más usaban. Era amplia, de estilo rústico. Había un gran hogar de piedra, con un horno anticuado al lado, ventanas con celosías sobre el fregadero, vigas de madera en el techo y alfombras de retazos coloridos cubriendo el suelo de lajas.

Además de ser cálida y acogedora, estaba pulcra y ordenada, con cada cosa en su lugar. Las ollas y las sartenes refulgían; detrás de las cortinas de encaje, las dos ventanas destellaban bajo el sol de la tarde avanzada. Kate se enorgullecía de su hogar y eso se notaba en el esmero con que lo atendía.

Mari corrió hasta la mesa que ocupaba el centro, cubierta ya por un mantel blanco y puesta para el té, y trepó a una de las sillas de respaldo recto.

Esperó con paciencia, mientras Kate se movía con celeridad, trayendo a la mesa platos con sándwiches y escones. Apagó el fuego y virtió el agua caliente sobre las hojas pardas, en la tetera marrón que, según Kate, daban al té un sabor excelente.

La niña amaba a su madre y esa adoración se reflejaba en sus ojos, que la seguían por doquiera. Estaba contenta de tenerla de nuevo en casa. Kate había estado ausente la mayor parte del día. Mari la echaba de menos, aunque sólo faltara por un ratito. Para esa niña de cinco años, la madre era el mundo entero, un ser perfecto por su rostro gentil, la vibrante cabellera rubia con reflejos rojizos, los claros ojos azules y su cariñoso temperamento. Estaban siempre juntas; en realidad eran inseparables, pues el sentimiento era mutuo. Kate amaba a su hija con exclusión de todo lo demás.

Kate caminaba entre el horno de gas y la encimera junto al fregadero, trayendo cosas a la mesa. Cuando por fin se sentó frente a Mari, dijo:

—Traje tus salchichas favoritas, las que hacen en la panadería de la ciudad, Mari. Come una, tesoro, ahora que están recién sacadas del horno.

Mari la miró, radiante.

—Oooh, mami, son "riquísima".

—Riquísimas —corrigió Kate, suavemente—. Pronuncia siempre las eses finales, Mari.

La niña asintió con la cabeza y alargó la mano hacia un arrollado de salchicha; lo comió lentamente, pero con gran placer. Cuando hubo terminado echó un vistazo hambriento a los platos de sándwiches. Los había de varias clases: de pepino, salchichón, tomate y ensalada de huevo. A Mari se le hizo la boca agua, pero como su madre le había enseñado buenos modales, inculcándole que no debía arrebatar la comida, dejó pasar un par de segundos mientras tomaba un sorbo de la leche que Kate le había servido junto al plato.

Cuando calculó que había pasado el tiempo suficiente, echó mano de un sándwich de pepino y le dio un mordisco, saboreando su húmeda resistencia.

Madre e hija intercambiaron algunas palabras sueltas mientras masticaban los pequeños sándwiches preparados por Kate para el té, pero en general comieron en silencio, disfrutando plenamente del momento. Las dos estaban hambrientas.

Aquel día, Mari no había comido bien, porque Eunice arruinó el pastel casero que la madre les había dejado. Bastaba con recalentarlo, pero la niñera lo había dejado demasiado tiempo en el horno, donde acabó por quemarse. Tuvieron que arreglárselas con pan, mermelada y una manzana cada una.

Kate, por su parte, se había salteado el almuerzo, mientras recorría las calles de la ciudad cercana en busca de trabajo, sin tiempo ni deseos de detenerse a comer algo en una de las cafeterías locales.

Sus esperanzas habían crecido en la última entrevista, justo antes de volver a casa. Existía una buena posibilidad de conseguir empleo en la tienda más elegante de la ciudad, París Modas. Necesitaban una vendedora y el gerente, aparentemente complacido con ella, le había dicho que volviera el viernes por la mañana para presentarla al propietario de la tienda. Kate no dejaría de ir. Mientras tanto mantendría los dedos cruzados; ojalá su suerte estuviera a punto de cambiar para mejor, por fin.

Una vez saciado el apetito, Kate se levantó para ir a la despensa. Al pensar en el empleo se llenaba de nuevas esperanzas; cuando trajo el bol de frutillas y la jarra con crema, su paso era más ligero que de costumbre. Sonrió de placer al ver la expresión encantada de su hija.

—Oh, mami, frutillas —dijo Mari, con los ojos brillantes.

—¿No te dije que tenía algo rico para ti? —exclamó Kate, mientras le servía una generosa porción de la fruta. Después de agregarle un poco de crema, llenó su plato.

—Pero las cosas ricas son sólo para los días especiales, mami. ¿Hoy es un día especial?

—Podría ser —respondió Kate, enigmáticamente. Y agregó, al ver la expresión desconcertada de la niña: —De cualquier modo, es agradable comer algo rico los días que no son del todo especiales. Así la sorpresa es mayor, ¿no?

Mari asintió, riendo.

Como suele suceder en Inglaterra, la cálida tarde de agosto se convirtió en un anochecer glacial.

Lloviznaba desde las seis y una húmeda niebla había trepado lentamente desde el río, cruzando las praderas bajas y los sembrados que rodeaban la cabaña, hasta oscurecerlo casi todo. Árboles y arbustos adquirían extrañas formas nuevas, semejantes a monstruos incoados y seres ilusorios, más allá de las ventanas.

Por una vez en la vida, Mari se alegró de estar arropada en su cama.

—Cuéntame un cuento, mami —rogó, deslizándose más abajo entre los cobertores.

Kate se sentó en la cama para acomodar el rebozo.

—¿Por qué no un poema? Siempre dices que te gusta la poesía.

—Cuéntame la del hechicero.

Kate apartó un mechón de pelo castaño claro de la cara de su hija.

—Te refieres a El puesto mágico, ¿verdad, ángel?

—Ése —confirmó la niña, anhelante, con los ojos clavados en la bonita cara de su madre.

Kate comenzó a recitar lentamente el poema, con su voz suave y meliflua.

> Hay un hechicero que vende en su puesto
> cosas asombrosas, regalos como éstos.
> El meandro de un río y su orilla,
> Un rayo de luna,
> Todo tipo de mentirijillas,
> Un trocito de noche en su cuna.
> Medio metro adelante,
> El temblor de una hoja,
> La sonrisa de un gran elefante,
> Una víbora coja.
> Sueños vistos a trasluz,
> Una piedra que flota,
> El fulgor de un gusano de luz,
> El maullido del Gato con Botas,
> Rocío de flores,
> El croar de las ranas,
> Nieve de colores,
> Sol de esta mañana.
> Pero ¿cómo es eso?
> ¡No vende agujeros de queso!

Al terminar, Kate sonrió a su hija. Después de apartarle una vez más el pelo revuelto de la cara, le dio un beso en la punta de la nariz.

—Ése es mi favorito, mami —dijo Mari.

—Hum, lo sé. Hoy tuviste muchas de tus cosas favoritas, pequeña. Pero ahora tienes que dormir. Se está haciendo tarde. ¿Rezaste tus oraciones?

La niña sacudió la cabeza.

—No debes olvidarte de rezarlas, Mari. Yo rezo todas las noches, desde que era tan pequeña como tú ahora.

Mari unió las manos y cerró los ojos para decir, con cautela:

—Ángel de la guarda, dulce compañía, no me desampares ni de noche ni de día. Que la gracia de Nuestro Señor Jesucristo, el amor de Dios y la amistad del Espíritu Santo nos acompañen ahora y por siempre jamás. Amén. Dios bendiga y proteja a mami. Dios me bendiga y me proteja a mí. Y haga de mí una niña buena.

Abrió los ojos para mirar con atención a su madre.

—Soy una niña buena, ¿no, mamá?

—Por supuesto, querida. La mejor de todas. Mi niña. —Kate se inclinó para darle un fuerte abrazo.

Mari le echó los brazos al cuello y las dos se estrecharon. Pero tras uno o dos segundos de intimidad, Kate soltó a la niña y la acomodó contra las almohadas. Luego se inclinó para besarla en la mejilla, murmurando:

—Dios te bendiga. Que sueñes con los ángeles. Te quiero mucho, Mari.

—Y yo a ti, mami.

· · · · ·

Anchos rayos de sol entraban en diagonal por la ventana, llenando de fulgor el pequeño dormitorio. Ese torrente incesante despertó a Mari, que abrió los ojos, parpadeando para adaptarse a la luz de la mañana. Se incorporó.

Últimamente había aprendido a leer la hora, de modo que echó un vistazo al reloj de la mesa de luz. Eran casi las nueve. Eso la sorprendió; generalmente su madre se levantaba mucho más temprano y la llamaba a desayunar antes de las ocho.

Mari pensó que su madre se había quedado dormida, y se levantó y correteó hasta el otro dormitorio. La cama estaba vacía. Se sujetó de la barandilla, como le habían enseñado, y bajó cuidadosamente la escalera.

Para gran sorpresa de Mari, su madre tampoco estaba en la cocina. Cuanto menos, a la vista. Pero al mirar con más cuidado la descubrió en el suelo, cerca del horno.

—¡Mami! ¡Mami! —gritó, corriendo alrededor de la mesa.

Se detuvo en seco frente a su madre. Kate yacía hecha un bulto, con los ojos cerrados y la cara mortalmente pálida.

Mari vio sangre en el camisón y se asustó tanto que, por un momento, no pudo moverse. Luego se arrodilló para tomarle la mano. Estaba fría. Fría como el hielo.

—Mami, mami —gimió con voz trémula, intensificado el temor—. ¿Qué te pasa, mami?

Kate no respondió; no se movía.

Mari le tocó la mejilla. Estaba tan fría como la mano.

La niña permaneció junto a su madre por algunos minutos más, dándole palmaditas en la mano, tocándole la cara, tratando de reanimarla, pero de nada sirvió. Los ojos se le llenaron de lágrimas que rodaron por sus mejillas. La atacó una mezcla de pánico y preocupación; no sabía qué hacer.

Por fin recordó lo que su madre le decía siempre: "Si sucede algo malo, una emergencia, y yo no estoy en casa, ve a buscar al agente O'Shea. Él sabrá lo que debe hacer. Él te ayudará."

Por mucho que le costara abandonar a su madre, Mari comprendió que eso era, exactamente, lo que correspondía hacer. Era preciso ir a la cabina policial de la calle mayor, donde se podía encontrar al agente O'Shea cuando estaba de turno.

Mari soltó la mano de su madre para subir la escalera. Fue al cuarto de baño para lavarse la cara, las manos y los dientes; luego se puso los pantaloncitos cortos de algodón y la remera del día anterior. Después de abrochar la hebilla de las sandalias, volvió a la cocina.

Se detuvo junto a Kate para observarla por un momento más; su alarma y su aflicción eran mayores que nunca. Por fin, girando decididamente sobre sus talones, salió deprisa a la mañana soleada.

Mari corrió por el sendero del jardín y la calle bordeada de árboles; sus pies volaron hasta la calle mayor. Allí estaba la cabina policial, pintada de azul oscuro, con espacio suficiente para dos policías, en caso necesario. La cabina era una gran comodidad para el agente que estuviera de guardia. Estaba provista de teléfono, agua corriente y un calentador de gas; allí los agentes podían prepararse una taza de té, comer un sándwich, redactar un informe y llamar a la estación central cuando debían reportarse o solicitar ayuda. Esas cabinas estaban estratégicamente dispuestas en las ciudades de toda Inglaterra y eran indispensables para los policías, sobre todo durante la noche o con mal tiempo.

Cuando Mari llegó a la cabina estaba jadeando y sin

aliento. Para gran alivio suyo, allí estaba el agente O'Shea. "Él me ayudará, estoy segura", pensó, mientras se detenía frente a él.

El policía estaba fumando de pie, a la puerta de la cabina. Al ver a Mari arrojó el cigarrillo y lo pisó.

Después de echar una mirada más atenta a la niña jadeante, Patrick O'Shea detectó el miedo en sus ojos y su estado de gran agitación. Dedujo de inmediato que había algún problema grave, se inclinó hacia ella para tomarle la mano y mirar la carita manchada de lágrimas.

—¿Qué pasa, Mari, tesoro? —preguntó con suavidad.

—Es mi mamá —exclamó ella, con voz aguda—. Está caída en el suelo de la cocina. No puedo despertarla. —Mari se echó a llorar, aunque se estaba esforzando por ser valiente. —Tiene sangre. En el camisón.

El agente O'Shea conocía a Mari desde siempre y sabía que era una niñita buena y educada, nada propensa a las travesuras ni a la exageración. Y de cualquier modo, bastaba su creciente nerviosismo para convencerlo de que algo andaba muy mal en Hawthorne Cottage.

—Espérame un minuto, Mari —dijo, entrando en la cabina—. En seguida iremos a tu casa, a ver qué se puede hacer.

Telefoneó a la estación de policía para pedir que enviaran de inmediato una ambulancia a Hawthorne Cottage. Después de cerrar la puerta con llave, alzó a la niña, murmurando naderías para tranquilizarla.

—Bueno, bueno, tesoro. Vamos a tu casa para ver cómo está tu mamá. Ya verás qué pronto arreglaremos todo.

—Pero está muerta —sollozó Mari—. Mi mamá está muerta.

PRIMERA PARTE

TIEMPO PRESENTE

1

Meredith Stratton, de pie ante la gran ventana de su oficina privada, desde donde se veía el centro de la ciudad, admiraba los relucientes chapiteles que se elevaban frente a ella. La vista panorámica de Manhattan era siempre llamativa, pero esa noche lucía más espectacular que nunca.

Era una noche invernal, a principios de 1995, y el cielo estaba negro como la tinta, despejado y lleno de estrellas. Hasta había luna llena. "Ningún escenógrafo de Hollywood podría haberlo hecho mejor —pensó Meredith—; no hay manera de mejorar la obra de la naturaleza. Pero debía admitir que eran los altos rascacielos y la arquitectura general de la ciudad lo que pasmaba la vista.

El edificio Empire State aún lucía sus vistosos colores navideños: vívidos verdes y rojos; a un costado, algo hacia la izquierda, se alzaba el edificio Chrysler, más sereno, con su esbelto chapitel *art déco* iluminado por puras luces blancas.

Esos dos puntos famosos predominaban en el escenario, como siempre, pero esa noche todo el horizonte parecía haber adquirido aspectos más refulgentes que de costumbre, destacarse más prístinos contra el cielo oscuro.

—No hay en el mundo entero nada como Nueva York —comentó Meredith en voz alta.

—Estoy de acuerdo.

Giró en redondo. Amy Brandt, su asistente, estaba de pie a la puerta de su oficina.

—Qué susto me diste, entrando de ese modo —exclamó Meredith con una sonrisa. Luego se volvió nuevamente hacia la ventana. —Ven a ver, Amy. Esta ciudad me deja sin aliento.

Amy cerró la puerta tras ella y cruzó el cuarto. Era menuda y morena, formando contraste con la alta y rubia Meredith. Se sentía algo enana junto a su jefa, que medía un metro sesenta y ocho descalza. Pero como Meredith siempre usaba tacones altos, solía empinarse por encima de casi todo el mundo; eso era un consuelo para Amy, que así se sentía menos insignificante.

Mientras miraba por la ventana, Amy dijo:

—Tienes razón, Meredith. Manhattan está sensacional. Casi parece irreal.

—Esta noche hay cierta claridad en el cielo, aunque esté oscuro —señaló la jefa—. No hay nube alguna y las luces de la ciudad crean un resplandor maravilloso...

Las dos mujeres pasaron un momento más mirando por la ventana; por fin Meredith se volvió hacia el escritorio, diciendo:

—Necesito revisar contigo un par de cosas, Amy. Luego puedes irte. —Echó un vistazo a su reloj. —Ya son las siete. Discúlpame por retenerte hasta tan tarde.

—No hay problema. Te vas por una semana, así que mientras no estés podré tomarme las cosas con calma.

Meredith se echó a reír, enarcando una ceja rubia de forma perfecta.

—Sería el milagro del siglo que te tomaras las cosas con calma. Eres adicta al trabajo.

—Oh, no. Yo no. Es usted la que se lleva el primer premio en esa categoría, jefa.

Los ojos de Meredith, muy verdes, se arrugaron en las comisuras al reír otra vez. Luego acercó hacia sí un montón de carpetas y abrió la de arriba, para estudiar por un momento la hoja llena de cifras. Por fin levantó la vista, diciendo:

—Me voy por más de una semana, Amy. Creo que serán dos, cuanto menos. Tengo mucho que hacer en Londres y en París. Agnes está empeñada en comprar esa vieja casa solariega de Montfort-L'Amaury, y ya sabes cómo es cuando le hinca los dientes a algo: como un perro con su hueso. Sin embargo, en esto tendremos que trabajar muy juntas.

—Por las fotografías que envió, la propiedad es hermosa, perfecta para nosotros —comentó Amy. Luego preguntó: —¿O te has arrepentido de pronto?

—No, nada de eso. Y lo que dices es cierto: esa propiedad resulta ideal para Havens. Mi única preocupación es cuánto habrá que gastar para convertir esa casa vieja en una cómoda hostería, con todas las instalaciones modernas que requiere el viajero experimentado y acostumbrado a que lo mimen. Ésa es la cuestión. Ya sabemos que, tratándose de dinero, Agnes nunca es muy concreta. A ella no le interesa en absoluto el costo de instalar tuberías nuevas. Temo que no tiene cabeza para las cuestiones prácticas.

—Pero es muy creativa, sobre todo cuando se trata de promocionar las hosterías.

—Cierto. Y por lo general yo debo cargar con las tuberías.

—Y la decoración. No olvidemos eso, Meredith. Te encanta diseñar los interiores y aplicarles tu sello personal.

—Esa parte me gusta, sí. Por otro lado debo calcular los costos, esta vez más que nunca. Como Agnes ya no puede aportar dinero propio, no participará en la compra de la casa solariega ni en los gastos de la remodelación. Y lo mismo sucede con Patsy en Inglaterra: ella tampoco puede colaborar financieramente. Yo misma debo conseguir el dinero. Y lo haré. Para Agnes y Patsy es un alivio que yo me encargue de la financiación, pero tendré que mantenerlas con la rienda corta, más que nunca, cuando se trate de remodelar.

—¿Estás segura de querer seguir adelante con las hosterías nuevas en Europa? —preguntó Amy. Sólo ahora se enteraba de que toda la financiación correría por cuenta de Meredith y había detectado cierta preocupación en su voz.

—Oh, sí, quiero comprarlas. Tenemos que adquirir más hosterías para expandirnos como es debido. Tampoco quiero que la empresa crezca demasiado. Creo que seis hoteles son suficiente, Amy; esa cantidad me parece perfecta: fácil de administrar, mientras Agnes se encargue de los franceses y Patsy, de los ingleses.

—Seis —repitió Amy, observándola con aire intrigado—. ¿Estás tratando de decirme algo?

Meredith la observó con desconcierto.

—No te entiendo.

—Dices que seis hosterías son fáciles de manejar, pero con dos nuevas en Europa y las tres de aquí tendrás siete. ¿Piensas vender alguna de las hosterías norteamericanas?

—He estado barajando esa idea —admitió Meredith.

—La que más dinero te daría es la de Silver Lake —comentó Amy—. Después de todo, es la que más éxito tiene.

La jefa la miró con atención.

De pronto sentía en el pecho el mismo dolor que había experimentado la semana anterior, al oír las mismas palabras de boca de Henry Raphaelson, su amigo banquero, mientras almorzaba con él en "21".

—Jamás podría vender Silver Lake —dijo al fin, repitiendo lo que había respondido a Henry.

—Te comprendo.

"No, no comprendes", pensó Meredith. Pero guardó silencio. Se limitó a inclinar la cabeza, bajando la vista hacia el análisis financiero de lo que costaría remodelar la casa solariega de Montfort-L'Amaury, pero sin concentrarse en las cifras.

Estaba pensando en la hostería de Silver Lake. En realidad, nadie sabía lo que representaba para ella: ni siquiera sus dos hijos, que habían nacido allí. Silver Lake siempre había sido su refugio, el primer refugio seguro que conociera, su primer hogar de verdad. Y sus propietarios, Jack y Amelia Silver, habían sido los primeros en tratarla con bondad en toda su vida. La habían amado y protegido como a una hermana menor, educándola para que pudiera aprovechar su potencial, fomentando su talento, ayudándola a afinar su capacidad comercial, aplaudiendo su estilo. De ellos había aprendido lo que era decencia y bondad, dignidad y valor.

Jack y Amelia. Su única familia. Por un segundo los vio mentalmente con mucha claridad. Eran los primeros seres humanos a los que había podido amar. Antes de ellos nunca tuvo a quien amar, descontando a Spin, la perrita. Hasta ella le había sido arrebatada justo cuando acababan de encariñarse.

Silver Lake era parte de su ser, parte de su alma. Nunca la vendería, cualesquiera fuesen las circunstancias.

Meredith aspiró muy hondo y el dolor del pecho empezó a ceder. Levantó los ojos hacia Amy, comentando con aire casi indiferente:

—Tengo un interesado en comprar Hilltops. Por eso he decidido ir esta noche a Connecticut.

Amy se limitó a asentir con la cabeza, aunque sorprendida.

—¿Y Fern Spindle? ¿No crees que esa hostería de Vermont se vendería mejor que Hilltops?

—En verdad, Amy, es una propiedad mucho más valiosa; ha sido tasada en varios millones. Pero hace falta que alguien la quiera comprar. De lo contrario no es viable.

Amy hizo un gesto afirmativo. Meredith continuó:

—Blanche ya sabe que voy hacia allá. Dormiré en la hostería; no tiene sentido hacerle abrir la casa por una sola noche. Jonas se quedará también para llevarme hasta Sharon mañana por la mañana; allí me esperan los posibles compradores. Después de la reunión en Hilltops volveré directamente a la ciudad y, como estaba planeado, el sábado partiré hacia Londres.

Recogió una carpeta para entregársela a Amy.

—Aquí tienes las cartas, todas firmadas, y unos cuantos cheques para Lois. —Se reclinó en el sillón y concluyó: —Bueno, creo que eso es todo.

—No. Tienes correspondencia electrónica, Meredith.

La jefa se volvió hacia la computadora que tenía tras el sillón, en una mesa angosta, y echó un vistazo a la pantalla.

Jueves, 5/1/1995

Hola, mamá.
Gracias por el cheque. Viene bien.
Buen viaje. Dales duro. Vuelve forrada.
Besotes.

JON

. . . . .

32

—Bueno, qué facilidad de palabra —comentó Meredith, sentenciosa y meneó la cabeza. Pero sonreía para sus adentros al pensar en Jonathan, su hijo de veintiún años, que siempre había sabido divertirla. Le había salido bueno. Igual que la hermana. En ese aspecto era una mujer de suerte.

Ya sola en su oficina, Meredith estudió las cifras enviadas por su socia francesa. Le parecieron un poco altas; era preciso recordar que Agnes no siempre se mostraba muy práctica cuando se trataba de remodelar. Decidió que era posible reducirlas un poco.

Hacía ya ocho años que trabajaba con Agnes D'Auberville; la sociedad había tenido éxito. Ambas se llevaban bien y conformaban un buen equipo; Agnes, con su talento para la comercialización, había dado a conocer las hosterías. Con sus largas bufandas y sus faldas hasta el suelo, era bohemia, pero elegante.

Agnes manejaba la oficina parisiense de Havens Incorporated y supervisaba la administración del *château-hôtel* que ambas poseían en el valle del Loira. Aunque no podía participar financieramente en la adquisición de la casa solariega de Montfort-L'Amaury, estaba deseosa de que se comprara. "No te arrepentirás, Meredith —le había dicho por teléfono, algo más temprano—; es una buena inversión para la empresa."

Meredith lo sabía. También sabía que tener una encantadora posada a cuarenta y ocho kilómetros de París, a corta distancia de Versalles y el bosque de Rambouillet, era tener una mina de oro, sobre todo si contaba con un buen restaurante.

Agnes aseguraba que ya tenía apalabrado a un chef de renombre y a un distinguido arquitecto, que rediseñaría la casa solariega para convertirla en una cómoda hostería.

En cuanto a Patsy Canton, la inglesa con quien se había asociado diez años antes, el asunto era algo diferente en un solo aspecto: casi por casualidad, Patsy había dado con dos hosterías en funcionamiento que estaban a la venta y creía que eran verdaderos hallazgos.

Una estaba en Keswick, ese bello sitio del Distrito de los Lagos, en Cumbria; la otra, en los valles de Yorkshire, cerca de las ciudades catedralicias de York y Ripon. Ambos eran sitios frecuentados por los turistas extranjeros. También en este caso, una hostería de reputación bien establecida cubriría holgadamente los gastos.

Por desgracia, Patsy tenía el mismo problema que Agnes: no podía invertir más dinero. Ya había aportado cuanto poseía a Havens Incorporated; la herencia recibida de sus padres había servido para comprar Haddon Fields, la posada campestre que la empresa poseía en los Cotswolds.

Como Agnes en París, Patsy supervisaba la explotación de Haddon Fields y dirigía la pequeña oficina londinense. Sus puntos fuertes eran la administración y las relaciones públicas.

Meredith dejó escapar un pequeño suspiro, pensando en los problemas a los que se enfrentaba. En realidad, no eran insuperables; a largo plazo, las dos nuevas hosterías europeas darían grandes beneficios a la empresa.

La expansión había sido idea suya, sólo suya, y estaba decidida a llevarla a cabo; después de todo, era la accionista mayoritaria y la principal ejecutiva de Havens. Esencialmente, la empresa era suya y a ella le cabía la responsabilidad de todas sus operaciones.

Henry Raphaelson le había dicho, a principios de semana, que el banco le prestaría el dinero necesario para sus nuevas adquisiciones, con las hosterías ya existentes como garantía. Pero la de Silver Lake no estaba incluida; Henry había aceptado esa estipulación, aunque con cierta renuencia, pues Meredith lo convenció de que Hilltops se vendería con celeridad. Con un poco de suerte, así sería. Era de esperar que Elizabeth y Philip Morrison se decidieran al día siguiente. "Por supuesto que sí", se dijo, siempre optimista.

Apartó la silla y se levantó para acercarse a la consola laqueada instalada contra el muro largo, donde había dejado su portafolio.

Pese a su estatura, tenía formas muy femeninas y piernas largas. Se movía con ágil elegancia y celeridad; de hecho, solía ser rápida en todo cuanto hacía y estaba llena de energías.

Meredith Stratton tenía cuarenta y cuatro años, pero aparentaba menos, tanto por su vitalidad y su carácter efervescente como por lo fresco del rostro y su pelo rubio claro, que enmarcaba con un juvenil corte recto las facciones angulosas, bien definidas, y sus llamativos ojos verdes.

Si bien era hermosa, cautivaba más por su actitud agradable y su encanto natural. Había en ella algo inigualable, que dejaba una impresión duradera en cuantos la conocían.

Meredith llevó su portafolio al escritorio, una superficie de vidrio montada sobre caballetes de acero, para guardar en él las carpetas y otros papeles con los que había estado trabajando durante todo el día. Lo dejó en el suelo, ya cerrado, y marcó en el teléfono el número de su hija.

—Soy yo —dijo, al atender Catherine.

—¡Hola, mamá! —exclamó la muchacha, sinceramente complacida de oírla—. ¿Cómo andan tus cosas?

—Bastante bien. El sábado viajo hacia Londres y París.

—¡Qué suerte! ¿Puedo ir contigo?

—¡Por supuesto! Me encantaría. Y tú lo sabes, querida.

—No puedo, mamá, por mucho que me guste pasear contigo en París y divertirnos. Tengo que terminar las ilustraciones para el nuevo libro infantil de Madeleine McGrath y me han encargado varias portadas para libros. Ah, pero al menos puedo soñar, ¿no?

—Claro que puedes, y me alegro mucho de que te vaya bien en el trabajo. Pero si te decides a hacer una escapada, llama a Amy. Ella te reservará pasaje antes de que puedas decir Jack Robinson.

Catherine se echó a reír.

—Hacía años que no te oía usar esa expresión. Desde que era niña. Una vez me explicaste de dónde había salido, pero ya no me acuerdo. Es tan extraña...

—Sí, de veras. La aprendí en Australia, cuando era niña. Creo que se originó en Inglaterra y llegó allá con los colonos británicos. Los australianos comenzaron a usarla y acabó formando parte de nuestro idioma coloquial. Es una especie de argot.

—Sí, ahora recuerdo; nos dijiste que significaba "en un abrir y cerrar de ojos".

—Menos que eso, en realidad —confirmó Meredith, riendo con su hija—. Bueno, en cuanto al viaje a París o a Londres, piénsalo. Ya sabes lo mucho que me gusta viajar contigo. ¿Cómo está Keith?

Catherine dejó escapar un largo suspiro.

—Fantástico... de rechupete.

—Pareces feliz, Cat.

—Lo soy, mamá, lo soy. Estoy loca por él.

—¿La cosa va en serio?

—Muy en serio. —Catherine carraspeó. —Creo que en cualquier momento me va a proponer casamiento, mamá.

Por una fracción de segundo, Meredith quedó cortada. Se hizo silencio en la línea.

—¿Estás ahí, mamá?

—Sí, querida.

—Estás de acuerdo, ¿no?

—Por supuesto que sí. Keith me gusta mucho. Fue la sorpresa del momento, nada más. Esto ha sido muy rápido. Es decir, no hace mucho que se conocen.

—Seis meses. Es tiempo suficiente, ¿no?

—Supongo que sí.

Catherine dijo:

—A decir verdad, Keith y yo nos enamoramos en cuanto nos conocimos. Fue un *coup de foudre*, como dicen los franceses.

Meredith sonrió para sus adentros.

—Ah, sí, la descarga de un rayo... Sé lo que es eso.

—¿Fue así con mi padre?

Meredith vaciló.

—No tanto, Cat... Bueno, en cierto modo, sí. Sólo que tardamos mucho en admitirlo.

—Bueno, porque ustedes no podían, ¿verdad? En esas circunstancias tan peculiares. Debe de haber sido horrible para ti.

—No, aunque parezca extraño. Pero ésa es una historia muy vieja y éste no es buen momento para recordarla otra vez.

—¿Y cuando conociste a David? ¿Fue un *coup de foudre*?

—No —dijo Meredith, pensando en el padre de Jonathan por primera vez en varios años—. Nos amábamos, pero no... apasionadamente.

—Creo que siempre lo supe. En cambio Keith y yo nos amamos apasionadamente. Si se me declara, voy a decirle que sí. De veras estás de acuerdo, ¿no, mamá? —insistió.

—Muy de acuerdo, querida. Si te lo propone mientras yo esté en Londres o en París, me avisarás en seguida, ¿no?

—Claro. Apuesto a que te haremos abuela antes de... de que puedas decir Jack Robinson. —Catherine soltó una risita aniñada.

Meredith inquirió:

—No estarás embarazada, ¿o sí?

—No seas tonta, mamá. Por supuesto que no. Pero no veo la hora de tener un bebé. Antes de que sea demasiado vieja.

Meredith estalló en una carcajada.

—No seas ridícula. Tienes sólo veinticinco años.

—Sí, pero quiero tener hijos siendo joven, como tú.

—Siempre fuiste una gallina clueca, hasta cuando eras pequeña. Oye, tesoro, tengo que cortar. Esta noche Jonas me llevará hasta Silver Lake. Mañana tengo una reunión en Hilltops. Si me necesitas, estaré de regreso en Nueva York mañana por la noche. Adiós, Cat. Te quiero mucho.

—Yo también te quiero mucho, mamá. Saludos a Blanche y a Pete; dales mis cariños. Y cuídate, ¿me oyes?

—Claro. Hasta mañana, y Dios te bendiga.

Después de cortar, Meredith se quedó un minuto sentada ante el escritorio, pensando en su hija. Keith Pearson le propondría casamiento muy pronto, no cabía duda. Ese año habría boda. La idea le iluminó la expresión. Catherine sería una novia preciosa. Ella estaba decidida a ofrecerle una fiesta inolvidable.

Se levantó para acercarse a la ventana y contemplar el

horizonte de Manhattan. "Nueva York —murmuró para sus adentros—, la ciudad de la que hice mi hogar. Tan lejos de Sydney, Australia... ¡Qué lejos he llegado! Y en tantos sentidos... Tomé la vida horrible que llevaba y me creé una vida nueva. Construí sobre el dolor y el sufrimiento; los usé como columnas sobre las cuales edificar mi ciudadela, tal como los venecianos construyeron la suya sobre pilotes hundidos en los bancos de arena. Y lo hice todo sola... No, no del todo sola: Jack y Amelia me ayudaron.

Recorrió con la vista ese cuarto elegante, decorado en diversos matices de gris pálido, lavanda y amatista. Apreció las ricas sedas y terciopelos utilizados para tapizar sofás y sillones, el lustroso laqueado gris de los muebles modernos, las pinturas de impresionistas modernos franceses y americanos: Taurelle, Epko y Guy Wiggins.

Y lo vio como por primera vez, con renovada objetividad. No pudo dejar de preguntarse qué habrían pensado Jack y Amelia de todo lo que ella había conseguido.

Una súbita oleada de emoción le anudó la garganta. Entonces volvió a sentarse ante el escritorio, demorando la mirada en las dos fotografías enmarcadas en plata que tenía siempre ante sí.

Una era de Catherine y Jonathan cuando niños; la habían tomado cuando Cat tenía doce años y Jon, ocho. ¡Qué belleza de criaturas! Espíritus libres, tan bien forjados.

En la otra estaba ella con Amelia y Jack. Se la veía muy joven. Bronceada, rubia y sin ninguna sofisticación. La foto había sido tomada en Silver Lake cuando ella tenía sólo veintiún años.

"Jack y Amelia estarían orgullosos de mí —pensó—. Después de todo, ellos ayudaron a hacer de mí lo que soy; en cierto sentido soy su creación. Y ellos constituyen la mejor parte de mí."

2

Cada vez que volvía a Silver Lake, Meredith se sentía excitada. Poco importaba cuánto hubiera durado su ausencia (meses enteros, una semana o sólo unos pocos días), regresaba con una sensación de gozo, la seguridad de estar llegando al hogar.

Esa noche no fue la excepción.

Su expectativa se inició en cuanto Jonas abandonó la ruta 45 Norte, cerca de Cornwall, para cruzar los grandes portones de hierro que marcaban la entrada a la vasta propiedad de Silver Lake. Condujo lentamente por el camino que conducía al lago, la hostería y el pequeño grupo de edificaciones sobre la costa. La ruta estaba en buenas condiciones, bien iluminada por las anticuadas lámparas de calle que Meredith había hecho instalar algunos años antes.

Miró por la ventanilla: era evidente que ese mismo día Pete había puesto a algunos obreros a trabajar con la topadora. El camino estaba despejado y la nieve formaba gigantescos cercos blancos a ambos lados; en los bosques que la senda atravesaba había enormes montículos a los que el viento había dado la forma de extrañas dunas.

Las ramas de los árboles estaban cargadas de nieve y carámbanos goteantes; bajo el claro de luna, el prístino paisaje blanco parecía reverberar como si lo hubieran rociado con una fina capa de plata en polvo.

Meredith no pudo sino pensar en lo bellos que eran los bosques con su vestidura invernal. Claro que esa comarca siempre era gloriosa, en cualquier estación, y tan especial para ella que no podía compararla con ningún otro lugar del mundo.

Desde la primera vez que lo viera, Silver Lake la había abrumado con su majestuosa belleza: el gran lago brillando bajo el sol de primavera como una suave lámina de vidrio, rodeado de lozanas praderas y huertas, y todo en una cuenca natural creada por las empinadas colinas boscosas que rodeaban la propiedad.

Se había enamorado de ella al instante y desde entonces la amaba con pasión creciente.

"Pronto hará veintiséis años —pensó—. Yo tenía sólo dieciocho." Más de la mitad de su vida. Sin embargo, todo parecía haber sucedido el día anterior, por lo fresco que se mantenía el recuerdo en su mente.

Había llegado a la hostería de Silver Lake para solicitar el empleo de recepcionista ofrecido en el periódico. Los Paulson, la familia norteamericana con la que había venido de Australia como niñera, iba a mudarse a Sudáfrica por cuestiones de trabajo. Ella no quería acompañarlos. Tampoco deseaba regresar a la Australia natal. Prefería quedarse en Norteamérica; en Connecticut, para más exactitud.

Promediaba mayo, poco después de su cumpleaños, cuando llegó montada en una bicicleta prestada y algo desaliñada por el viento.

Al recordar se imaginó tal como era entonces: alta y flacucha, toda brazos y piernas, como un potrillo. Pero bastante bonita, con la frescura de la juventud. Estaba llena de vida, deseosa de ayudar y de complacer. Ése era su carácter básico; además, era una pacificadora innata.

Jack y Amelia Silver se prendaron inmediatamente de ella; el afecto fue mutuo. Como los preocupaba el hecho de que ella se quedara en norteamérica sin los Paulson, le preguntaron qué pensaría su familia, allá en Sydney. Ante su explicación de que sus padres habían muerto se mostraron compasivos, lamentando que ella los hubiera perdido tan pronto. Y comprendieron que no tenía motivos para volver a las antípodas.

Después de hablar por teléfono con la señora Paulson la contrataron en el acto.

Y así se había iniciado aquella extraordinaria relación que cambiaría su vida.

Meredith se irguió en el asiento al aparecer la hostería: muchas de las ventanas estaban iluminadas, en una visión acogedora. No veía la hora de estar adentro, con Blanche y Pete, rodeada de todas las cosas que le eran familiares en ese amado lugar.

Pocos segundos después, Jonas se detenía frente a la posada. Apenas había aplicado los frenos cuando la puerta principal se abrió de par en par, dejando caer un torrente de luz en el amplio porche.

Un momento más tarde, Blanche y Pete O'Brien estaban arriba de la escalera. Él bajó antes de que Meredith pudiera acabar de abrir la portezuela, exclamando:

—Bienvenida, Meredith. Tardaste poco, a pesar de la nieve.

—Hola, Pete —saludó ella, dejándose envolver en un abrazo. Y agregó al separarse: —No hay chofer como Jonas. Es de los mejores.

—Cierto. Hola, Jonas; me alegro de verte. —Pete saludó al conductor con un ademán y una sonrisa. —Te ayudaré a llevar las maletas de la señora Stratton.

—Buenas noches, señor O'Brien. No se moleste. No hay mucho que llevar.

Meredith dejó que los dos hombres se encargaran del equipaje y subió apresuradamente los peldaños.

—¡Qué alegría estar aquí, Blanche!

Las dos mujeres se abrazaron. Blanche la llevó adentro con una sonrisa.

—Y a nosotros nos alegra tenerte de regreso, Meredith, aunque sólo sea por una noche.

—Me gustaría quedarme más tiempo, pero como te expliqué por teléfono, debo volver a la ciudad en cuanto termine la reunión en Hilltops.

La mujer asintió.

—Creo que los Morrison van a cerrar trato. Se mueren por escapar de Nueva York, comprar una hostería y llevar una vida diferente.

—Crucemos los dedos —dijo Meredith, quitándose la gruesa capa de lana para arrojarla a un banco.

—Te gustarán. Son una pareja encantadora: sinceros y transparentes como el agua. Aparte de querer cambiar de vida, les encanta esta zona de Connecticut.

—¿Y cómo no, si esto es el paraíso? —murmuró Meredith, echando un vistazo al vestíbulo—. Todo está perfecto, Blanche. Tan cálido y acogedor...

La mujer le dedicó una gran sonrisa.

—Gracias, Meredith. Bien sabes que amo esta vieja casa, tanto como tú. Pero debes de estar muerta de hambre. Me pareció que ya era muy tarde para una cena completa, así que te preparé unos sándwiches de salmón ahumado, fruta y queso. Ah, también tengo una sopa de carne burbujeando en la hornalla.

—La sopa me tienta. Tú la haces riquísima y es una comida por sí sola. Jonas debe de tener hambre, después de tanto conducir. Podrías ofrecerle un poco. Y también algunos sándwiches.

—Bueno.

Pete entró con el portafolio de Meredith y la pequeña maleta.

—Jonas ha ido a estacionar el auto —explicó—. Voy a llevar esto arriba.

—Gracias, Pete —dijo Meredith.

—Te he preparado la suite *toile de Jouy* —informó Blanche—. Sé lo mucho que te gusta. Bueno, ¿quieres que te suba la cena? ¿O te la llevo al salón del bar?

—Prefiero cenar aquí abajo, en el bar. Gracias, Blanche. —Meredith echó un vistazo al salón que se abría al gran vestíbulo de la hostería. —Veo que tienes el fuego encendido. Qué bonito. Creo que voy a prepararme una copa. ¿Quieres una, Blanche?

—¿Por qué no? Te acompaño con un vodka con agua tónica. Pero primero voy a preparar la bandeja para Jonas. Vuelvo en unos minutos.

Mientras Blanche salía en dirección a la cocina, Meredith entró en el salón del bar, paseando la mirada a su alrededor mientras se acercaba al enorme hogar de piedra, situado en el extremo opuesto. El fuego que ardía alegremente, la alfombra roja y los sofás de pana granate, los sillones tapizados de lienzo rojo y crema, daban al ambiente una sensación cálida. La acentuaban las cortinas de brocato rojo que cubrían las ventanas de cristales emplomados, el artesonado de caoba lustrada y las pantallas rojas en las lámparas de pared. Era una habitación de ambiente algo masculino y bastante inglés, con una armonía que a Meredith siempre le había gustado.

El bar de caoba tallada estaba a la izquierda del hogar, frente a las ventanas. Meredith fue hacia él para tomar dos copas; les agregó hielo y virtió en cada una una buena medida de Stolichnaya Cristal. Sonrió para sus adentros al ver que, junto al baldecito del hielo, había un plato con rodajas de lima. Blanche le había adivinado las intenciones, sabiendo que decidiría tomar su copa allí. El salón del bar siempre había sido su sitio favorito dentro de la hostería; lo mismo le ocurría a todo el mundo, por su ambiente íntimo y acogedor, que invitaba a beber.

Una vez que hubo preparado los tragos, Meredith se acercó al hogar, de espaldas al fuego, para disfrutar del calor. Tomó un sorbo de vodka mientras esperaba tranquilamente a Blanche, pensando que nunca había visto mejor a su vieja amiga. Aunque hubiera algún hilo plateado en su roja cabellera, se mantenía tan esbelta como cuando era muchacha: sus alegres ojos pardos conservaban la vivacidad de siempre. "Lleva muy bien los años", se dijo Meredith.

Las dos mujeres tenían la misma edad y eran amigas desde hacía veinticuatro años. Blanche había llegado a la hostería de Silver Lake dos años después de que Meredith tomara el puesto de recepcionista. Comenzó como repostera en las cocinas, donde pronto ascendió a jefa, pues era una cocinera inspirada. Allí siguió trabajando, muy a su gusto, hasta que se casó con Pete, que siempre había administrado la finca de los Silver, y quedó embarazada de Billy.

Por entonces era Meredith quien manejaba la hostería y

le ofreció el puesto de asistente de gerencia. Blanche aceptó encantada, pues eso le permitía continuar trabajando en el lugar sin tener que sufrir el calor ni levantar cacerolas pesadas.

En la actualidad, ella y Pete manejaban juntos la hostería y eran responsables de la administración y el mantenimiento de toda la propiedad. "Es buena para este lugar —reflexionó Meredith—. Lo ama tan apasionadamente como yo y eso se nota en todos los rincones, en todo lo que hace."

—A propósito: aunque te parezca mentira, este próximo fin de semana estaremos muy ocupados. Tenemos todas las habitaciones reservadas. Y varias suites. Reconozco que no es habitual en enero, pero no me quejo —dijo Blanche, interrumpiendo las cavilaciones de Meredith.

—Me encanta saberlo, pero en cierto modo no me sorprende. A mucha gente le gusta estar en el campo cuando nieva y este lugar tiene muy buena reputación. Gracias a ti y a Pete, por cierto. De veras les agradezco lo que hacen, Blanche.

—Estamos encariñados con esta hostería, ya lo sabes.

—A propósito: Catherine les envía cariños, a ti y a Pete.

Blanche sonrió.

—Retribúyeselos, por favor. ¿Cómo está, Meredith?

—Tan estupenda como siempre. Y trabajando muy bien; ha resultado ser una gran ilustradora. Además, está locamente enamorada.

—¿De Keith Pearson?

Meredith asintió con la cabeza.

—¿Te lo dijo?

—Sí, cuando vinieron todos a celebrar Acción de Gracias.

—Creo que la cosa viene muy en serio.

—¿Vamos a tener boda? —preguntó Blanche, mirando a Meredith con aire burlón.

—Creo que sí. Estoy casi segura.

—Será aquí, ¿no?

—¿Dónde si no, Blanche? Cat nació y se crió aquí. Aquí querrá casarse, sin duda. Y es el lugar perfecto.

—¡Oh, no veo la hora de comenzar a hacer planes! —exclamó Blanche, bebiendo un sorbo. —Salud. Por Cat y la boda.

—Por la boda —dijo Meredith, alzando la copa. Se preguntó si no traería mala suerte brindar tan prematuramente por algo.

—Entoldados. Tendremos que poner entoldados —musitó Blanche, con la mirada perdida en el espacio, dedicada a imaginar la recepción.

—Pero lo más probable es que se casen en verano —señaló Meredith.

—Sí, ya sé. En junio, tal vez; todas las chicas quieren ser novias de junio. Pero aquí suele llover en esa época, como bien sabes, y es mejor estar preparados. Oh, será estupendo. Tendremos lindísimos adornos florales y centros de mesa. Y un menú especial. ¡Oh, qué fabuloso! Deja todo por mi cuenta.

Meredith se echó a reír.

—Con mucho gusto, mi querida Blanche.

—Bien. —La amiga tomó un sorbo de vodka. De pronto miró a Meredith, diciendo: —¿Tienes algún contacto con David?

—¿David Layton? —preguntó ella, algo sorprendida.

—Sí.

—Muy rara vez. ¿Por qué lo preguntas?

—De pronto pensé en él. ¿Ya no recuerdas que te casaste aquí y que yo me encargué de organizar la boda?

—Claro que me acuerdo —dijo Meredith, con lentitud. Y meneó la cabeza. —Qué extraño, ¿no? Hay gente a la que nunca mencionamos y de pronto su nombre surge en la conversación dos veces en el mismo día.

—¿Quién más mencionó a David?

—Catherine. Cuando la llamé por teléfono, antes de salir. Me preguntó si había estado locamente enamorada de él, poco más o menos.

—¿Y qué le dijiste?

—La verdad. Que no.

—No, por supuesto. Sólo te enamoraste locamente una vez y fue de su padre.

Meredith guardó silencio.

—¿Nunca te has preguntado cómo habría sido tu vida si él no hubiera...?

—En realidad, no quiero hablar de eso —la interrumpió Meredith, perentoria. Luego se mordió el labio, arrepentida. —Discúlpame la brusquedad, Blanche. Es que por esta noche preferiría no tocar ese tema. El día ha sido largo y no me siento en condiciones de recordar tragedias pasadas.

Su amiga sonrió con suavidad.

—Es culpa mía, por mencionar el asunto. Ahora te he puesto triste.

—No, te aseguro que no.

Blanche consideró que era más prudente cambiar de tema y dejó su copa, diciendo:

—Hablando de otra cosa: tendremos que renovar las alfombras de la suite *toile de Jouy* y de la habitación azul. Este invierno hubo algunas goteras y el alfombrado se dañó. Lamento mucho decírtelo, pero también apareció una gotera en la casa, justamente en tu dormitorio. Mañana te la mostraré. Temo que allí también tendrás que cambiar la alfombra.

—Son cosas que pasan, Blanche. Así nos lo dicen tantos

años de experiencia. ¡Y eso que el año pasado cambiamos los tejados! Mañana llamaré a Gary, el de Stark, antes de viajar a Londres. Él tiene todo en la computadora, así que no habrá problemas. —Meredith frunció el entrecejo. —Las alfombras eran de la línea estándar, ¿no?

—Sí, estoy segura. —Blanche echó a andar hacia la puerta. —Se está haciendo tarde. Voy a traerte ese plato de sopa.

Meredith dejó la copa para seguirla.

—Voy a comer en la cocina, Blanche. Es mucho más fácil.

3

Hilltops, la hostería que Meredith tenía cerca de Sharon, estaba construida en la cima de una colina. Era el punto más elevado sobre el lago Wononpakook y la casa tenía una vista espectacular desde sus ventanas: interminables kilómetros de lago, cielo y laderas boscosas, casi sin otra edificación en el amplio panorama.

Había sido en sus comienzos una mansión, retiro veraniego de un gran potentado norteamericano que la construyó a fines de los años treinta sin reparar en gastos. Allí pasaba los veranos con su familia hasta que murió, al promediar la década de los sesenta; entonces la propiedad fue vendida.

Cuando Meredith la compró, en 1981, hacía casi veinte años que funcionaba como hostería y estaba bien establecida. Pero fue su elegante remodelación y los dos restaurantes agregados los que le dieron categoría y renombre.

A sus ojos, Hilltops evocaba imágenes de Suiza. Se volvió hacia Paul Ince, que era el administrador, y comentó:

—Esta mañana me siento como si estuviera contemplando el lago de Ginebra, Paul.

Él respondió riendo:

—Te comprendo. Yo siempre tengo la sensación de estar en los Alpes suizos, sobre todo en invierno.

Ella había llegado quince minutos antes; ambos estaban en la encantadora y vieja biblioteca, con su artesonado de pino, esperando a los Morrison.

Meredith echó otro vistazo por la ventana.

—Cuánta nieve —murmuró—. Este año ha nevado mucho, pero no parece haber afectado los negocios, ¿verdad?

—No, en absoluto. Bueno, en realidad la semana pasada hubo algunos problemas y tuvimos que cerrar los restaurantes por algunos días, como ya sabes. Pero nos liberamos de la nieve en cuanto la topadora salió a la ruta principal. Una vez despejado el camino, todo siguió bien. —Hizo una pausa. —Y seguimos bien —la tranquilizó.

—¿Cómo están las reservaciones para el fin de semana.

—Bastante bien: doce de las quince habitaciones. Y los dos restaurantes están casi colmados. Gente de la zona, además de los huéspedes del hotel. —Paul carraspeó, vacilando por un segundo. —Estoy seguro de que podrás vender la hostería, Meredith. A los Morrison o a cualquier otro. Es una gran oportunidad. Y quiero decirte algo: te voy a echar de menos. Siempre ha sido estupendo trabajar contigo.

—Eres muy amable, Paul. Gracias. A mí también me ha gustado trabajar contigo, todos estos años. No sé cómo me las habría arreglado sin ti. Decididamente, tienes mucho que ver con el éxito de la hostería, por lo mucho que te has empeñado en fomentar los negocios. Como ya te dije, creo que los Morrison querrán conservarte, si se deciden a comprar. Siempre que tú quieras continuar, claro.

—Por supuesto. Es lo que ellos me dieron a entender el último fin de semana, cuando estuvieron aquí.

—¿Qué opinas de ellos? De sus intenciones, Paul.

—Están más que interesados, Meredith. Yo diría que están

desesperados por quedarse con Hilltops, como le dije a Blanche el otro día. Es lo que buscan desde hace años: una hostería campestre en Connecticut, lejos del ritmo frenético de Nueva York y la carrera de ratas de Wall Street y Madison Avenue. Una carrera nueva para los dos. Otro estilo de vida para ellos y sus hijos.

—No sabía que tuvieran hijos —comentó Meredith, frunciendo el entrecejo—. ¿Eso significa que van a vivir en la cabaña? ¿La que ocupas tú?

Paul meneó la cabeza.

—No. La señora dio a entender que piensan seguir viviendo en su casa de Lakeville. Pero si quisieran la cabaña, Anne y yo podríamos alojarnos en la hostería mientras se acondicionara el apartamento de la cochera.

Meredith hizo un gesto de asentimiento y fue a sentarse junto al hogar, donde volvió a servirse café.

—¿Quieres otra taza, Paul?

—Sí, por favor.

Paul se reunió con ella y ambos bebieron el café en silencio por algunos minutos, perdidos en sus propios pensamientos. Fue Meredith quien habló primero:

—Como ya sabes, pido cuatro millones de dólares por la posada y, hasta ahora, no me he apartado de esa cifra. Entre nosotros, podría rebajarla un poco, sólo para efectuar la venta. ¿Sabes qué opinan ellos de ese precio?

—No sé qué decirte —respondió Paul. Después de reflexionar por un momento, continuó: —En tu lugar, insistiría con esa suma para ver qué pasa. Pero te conviene estar mentalmente dispuesta a aceptar tres millones.

Ella meneó la cabeza.

—De ningún modo, Paul. Necesito tres millones y medio,

cuanto menos. Y la hostería los vale. Más aún, vale cuatro. En realidad, mis agentes de bienes raíces la valuaron en cuatro y medio.

—Pero tú siempre me dices que, para que una propiedad sea una inversión viable, hace falta que alguien desee comprarla.

—Lo sé, lo sé, pero necesito esos tres millones y medio para mi programa de expansión —explicó Meredith, dejando su taza con un tintineo—. Las dos hosterías de Europa van a costar bastante. Y me gustaría que esta venta me dejara un poco más para cubrir los gastos de operación y para reinvertir en Havens.

—Mira, Meredith, estoy seguro de que los Morrison están bastante bien situados. Él trabaja en Wall Street desde hace años y ella participa en una agencia publicitaria de Madison Avenue. En todo caso, cuando hables con ellos podrás apreciar tú misma hasta dónde puedes exigir.

—Muy cierto. ¿Por qué tratar de adelantarnos?

Alguien llamó a la puerta, que se abrió a una indicación de Paul. La recepcionista asomó la cabeza.

—Ha llegado el matrimonio Morrison.

Paul asintió.

—Hágalos pasar, Doris, por favor.

Varios segundos después hacía las presentaciones entre Elizabeth y Phillip Morrison y Meredith. Terminados los saludos, todos se sentaron en los sillones, cerca del fuego.

—¿Puedo ofrecerles algo? —preguntó Meredith—. ¿Café, té, una gaseosa?

—No, gracias —dijo la señora.

El esposo sacudió la cabeza, murmurando que acababan de desayunar. Luego entabló conversación con Paul sobre el clima y el estado de la ruta a Lakeville, donde tenían una casa para fines de semana.

La señora Morrison miró a Meredith, diciendo:

—Me encanta la decoración que usted ha hecho en Hilltops. Es tan encantadora e íntima... Me hace pensar en las casas de campo inglesas.

—Gracias —sonrió Meredith—. Me gusta decorar, crear una atmósfera, un ambiente. Y muchísima comodidad para los huéspedes, por supuesto. Creo que una posada debería ser un refugio. Por eso he llamado a mi empresa Havens, "refugios".

Elizabeth Morrison asintió.

—Muy adecuado, muy adecuado, por cierto. Y esos pequeños toques suyos me parecen maravillosos. Las bolsas de agua caliente con fundas de seda, las lámparas para leer junto a la cama, las mantas afganas en los divanes. Son pequeños lujos como ésos los que marcan la diferencia.

—Eso es lo que yo pienso —murmuró Meredith—. Y es la política que aplico en todas nuestras posadas.

—Siempre hemos querido operar una hostería como ésta —le confesó la señora Morrison—. Y queremos hacerlo ahora, cuando todavía somos jóvenes. Además, queremos salir de la ciudad, criar a nuestros tres hijos en el campo. La ciudad se ha vuelto tan violenta y difícil, en general...

—La comprendo. Yo crié a dos hijos en Connecticut y siempre he pensado que fue una suerte. Como ustedes sabrán, si conocen la zona desde hace algunos años, aquí hay buenas escuelas. Sí, es un lugar estupendo para una familia.

Elizabeth Morrison estaba por decir algo más, pero al captar la mirada de advertencia de su marido se limitó a carraspear, reclinándose en el sillón. De pronto se había convertido en mera espectadora.

Meredith, a quien nada se le escapaba, detectó ese intercambio sutil y comprendió de inmediato: Philip Morrison no quería que su esposa dijera nada más ni que pareciera demasiado entusiasmada con la hostería. Quería que ella se mantuviera indiferente, como lo estaba haciendo él desde un principio. Obviamente, estaba dispuesto a cerrar trato.

Para no darle la oportunidad de iniciar el juego, Meredith se lanzó de lleno. Le dirigió una mirada evaluadora, y dijo:

—Sé que ustedes han visitado Hilltops unas cuantas veces y que a los dos les gusta. Ahora bien: ¿quieren comprarla?

—Sí —aseguró Philip Morrison—. Si el precio es conveniente. Para nosotros, digo.

—El precio es cuatro millones de dólares, señor Morrison. Creo que mi procurador ya se lo dijo en Nueva York.

—En efecto. Pero como le expliqué al señor Melinger, para mí es un poco elevado.

—En realidad, la posada vale más —señaló Meredith—. Su verdadero valor es de cuatro millones y medio. Puede verificarlo con los agentes de bienes raíces, tanto aquí como en la ciudad. Pero estoy dispuesta a aceptar menos porque quiero expandir mi empresa. De lo contrario pediría el precio correcto, se lo aseguro.

—Le daré tres millones —dijo Philip Morrison, echando un vistazo a su esposa—. No podemos pagar más de eso, ¿verdad, Liz?

Ella pareció perpleja al verse tan súbitamente incluida en el diálogo. Luego se apresuró a explicar, enfática:

—Vamos a vender nuestro departamento de Manhattan y pensamos hipotecar la casa de Lakeville; si nos desprendemos de algunos otros bienes, podemos reunir tres millones, pero eso es todo.

Meredith le echó una mirada larga y pensativa, sin hacer comentarios. Luego se inclinó hacia adelante para retomar la taza de café y bebió un sorbo.

—¿Qué le parece, señora Stratton? —preguntó Morrison—. ¿Acepta tres millones?

—No —dijo Meredith, mirándolo a los ojos—. No puedo. Como les he dicho, cuando decidí vender Hilltops fijé un precio de cuatro millones y medio, que corresponden a su verdadero valor. La casa está en perfectas condiciones: en los últimos años se ha cambiado el tejado, las tuberías y la instalación eléctrica, entre muchas otras mejoras importantes. Y el terreno es muy grande. Si bajé el precio fue sólo porque mis asesores me lo aconsejaron a fin de vender en seguida. Pero no puedo aceptar menos de cuatro millones.

—Tres millones y cuarto —contraatacó Morrison.

Meredith frunció los labios, meneando la cabeza.

—Cuatro.

—Tres y cuarto —insistió él.

Ella dejó escapar un pequeño suspiro y dedicó a los Morrison una sonrisa lenta y resignada.

—Vean, estoy dispuesta a aceptar tres millones setecientos cincuenta.

—Es que no puedo —explicó Philip Morrison.

—¡Pero si es una gran oportunidad! —apuntó Meredith, sin levantar la voz—. Piense que el precio real es de cuatro millones y medio. Les estoy rebajando tres cuartos de millón.

El hombre sonrió astutamente.

—Pero siempre hablamos de cuatro millones, señora Stratton, no de cuatro y medio. Tengamos eso en cuenta, ¿quiere?

Ella, sin responder, se levantó para acercarse a las ventanas que daban al lago. Después de contemplar el panorama por algunos segundos, giró en redondo.

—Ustedes quieren la hostería. Yo quiero venderla. Muy bien, cederé yo. Se la vendo por tres millones y medio.

Los Morrison intercambiaron una mirada cargada de intención. Por fin él dijo:

—Me gustaría aceptar, pero no creo que pueda. Me es imposible disponer de más dinero.

—Podría recurrir a su banco —sugirió Meredith— y conseguir un préstamo. Mejor aún: una hipoteca sobre la posada.

Philip Morrison la miraba fijamente, sin decir nada.

—Puedo presentarlos a un buen banco —ofreció ella, deseosa de cerrar trato.

—¿Cree que me darían un préstamo hipotecario contra la posada? —preguntó el hombre, mordiendo el cebo.

—Estoy casi segura, sí. Y puedo hacer algo más. Haré que mi procurador estructure un plan de pagos razonables, para no estrangularlos.

—Qué gentil —observó Elizabeth Morrison.

—Quiero cerrar el trato sin presionarlos. Y ustedes quieren cerrar trato sin estafarme, supongo.

—¡Por supuesto! ¡No somos esa clase de gente! —exclamó la otra mujer, indignada.

—Reconozco que su oferta es muy tentadora —murmuró Morrison, dirigiendo su mirada a Meredith—. Se me hace difícil rechazarla.

—Bueno, señor Morrison, no la rechace —sugirió ella y se acercó de nuevo al fuego.

Se detuvo junto al sillón del hombre y él se levantó.

—Vamos, no regateemos —propuso Meredith, ofreciéndole la mano—. Cerremos trato. Nos beneficia a todos.

Él vaciló sólo por un momento antes de estrecharle la mano.

—De acuerdo, señora Stratton. Tres millones y medio.

Se sonrieron. Elizabeth Morrison se acercó para darle la mano.

Paul Ince, que había estado sobre ascuas durante toda la negociación, los felicitó a los tres y propuso:

—Creo que esto merece un brindis. ¿Vamos al bar? Abriré una botella de Dom Pérignon.

—Qué gran idea, Paul —ponderó Meredith, abriendo la marcha.

En el viaje de regreso a Nueva York Meredith apenas dedicó algún pensamiento fugaz a Hilltops. Su astucia le había permitido lograr lo que se proponía: vender la posada por la cantidad que quería. Esos tres millones y medio de dólares cubrirían más que adecuadamente sus planes de expansión.

Antes de abandonar la hostería hizo todos los arreglos necesarios. Los Morrison se reunirían a la semana siguiente con su procurador, que tendría todos los documentos preparados. También les consiguió una entrevista con Henry Raphaelson; durante la conversación telefónica, el banquero le había asegurado que haría lo posible por facilitar las cosas a los Morrison.

Y ahora, mientras Jonas la llevaba de regreso a Manhattan, podía dirigir sus pensamientos a otros asuntos. Concentró su atención en el viaje a Inglaterra y en la compra de esa otra posada. Sin duda le gustaría alguna de las dos que Patsy Canton había hallado. Con un poco de suerte podría cerrar ese negocio con bastante prontitud. Entonces podría viajar a París para ver a Agnes D'Auberville.

Patsy la había invitado a almorzar con ella el domingo, para que pudieran hablar de negocios y trazar un plan. De esa manera ahorrarían tiempo. La idea era viajar el lunes al norte de Inglaterra. Primero irían a Cumbria, para ver la posada del Distrito de los Lagos, y luego bajarían a los valles de Yorkshire, donde estaba la otra.

Cuando preguntó a Patsy cuál de las dos hosterías prefería ella, su socia se mostró algo evasiva.

—En la de Keswick hay mucho menos que hacer —dijo. Y cerró la boca por completo. Pese a la insistencia de Meredith, se negó a hacer otros comentarios. —Quiero que esta decisión sea sólo tuya —murmuró—. Darte una opinión antes de que hayas visto las dos posadas sería influir sobre ti. Así que no me presiones.

Había sido ella quien le sugiriera que viajara a París directamente desde el aeropuerto de Leeds-Bradford, si no tenía motivos para regresar a Londres.

—Desde allí hay muchos vuelos a París, y también desde Manchester, que está cerca —concordó Meredith, pensando que era una gran idea, pues le ahorraría mucho tiempo.

Se recostó contra el asiento del auto, con los ojos cerrados, pensando en las valijas que aún debía preparar y tratando de resolver qué llevaría. De pronto pensó en Reed Jamison, con quien estaba comprometida para cenar. La mera idea de verlo la fastidiaba, pero tenía que hacerlo si quería cortar la relación.

"En realidad nunca existió", se dijo y se incorporó para mirar por la ventanilla. Esa relación no había llegado a levantar vuelo, aunque últimamente él parecía pensar otra cosa. En un esfuerzo por sentirse mejor, adoptó una actitud positiva y se dijo que todo sería fácil. Él sabría comprender. Después de todo, era un hombre adulto.

En el fondo, Meredith sabía que se equivocaba al evaluarlo así. El instinto le indicaba que iba a mostrarse difícil. Su fastidio se convirtió en aprensión.

4

—Sé que el otro día te pareció terquedad que no quisiera darte mi opinión sobre las hosterías —dijo Patsy Canton—. Pero es que...

—Más bien me pareció que estabas evasiva —interrumpió Meredith.

—Ni evasiva ni terca. Sólo cautelosa. Quería que vieras las posadas sin ideas preconcebidas, y mucho menos influida por mí. Pero ahora puedo ofrecerte una especie de... preestreno, diríamos. El propietario de la posada de los lagos nos envió unas cuantas fotografías. Llegaron ayer. Espera, que voy a traértelas.

Patsy se levantó del sillón para cruzar la pequeña sala roja de su casa, situada en la Belgravia londinense, donde ella y Meredith estaban tomando un trago antes del almuerzo dominical.

Tenía unos treinta y ocho años y era una mujer atractiva, más agradable que bonita, de buena contextura y casi tan alta como Meredith. El pelo rubio y corto se le rizaba alrededor de toda la cabeza; los grandes ojos grises estaban llenos de inteligencia. Pero era su impecable cutis de inglesa lo que provocaba todos los comentarios.

Se detuvo ante el pequeño escritorio georgiano para tomar un sobre grande y fue a sentarse en el sofá, junto a Meredith.

—Ian Grainger, el propietario de Henronside, está muy orgulloso de las fotos. Las tomó él mismo, en la primavera y el verano pasados.

Entregó el sobre a Meredith, que sacó ansiosamente las fotos. Después de observarlas por algunos segundos se volvió hacia Patsy:

—No me sorprende que esté tan orgulloso. Las fotos son hermosas. Y también Heronside, si es posible juzgar por ellas —comentó.

—Mucho, Meredith. En cierto sentido, las fotografías no hacen justicia a la hostería y a los terrenos. En esos cuartos la sensación de lujo es tal que te sientes mimada con sólo entrar en ellos. Toda la hostería está muy bien decorada, con telas y antigüedades encantadoras. Sé que te gustará el ambiente en general y las combinaciones de colores. En cuanto a los terrenos, son deslumbrantes, ¿no te parece?

Meredith asintió, mientras repasaba las fotos. Por fin escogió una de ellas. Era un paisaje boscoso, con el suelo alfombrado de iris y rayos de sol entrando en diagonal por el verde dosel de los árboles. Un poco más allá se veía una ladera cubierta de narcisos amarillos. En el fondo, una parte del lago, vasto, sereno y plateado, que centelleaba al sol.

—Mira, Patsy —dijo Meredith, entregándola a su socia—. ¿No es bellísimo?

—Sí, sobre todo la cuesta cubierta de narcisos. ¿No te hace pensar en el poema de Wordsworth?

Meredith la miró en silencio.

—El que habla de los narcisos. ¿No lo conoces?

Sacudió la cabeza. Patsy le confesó:

—Es uno de mis favoritos. —Y comenzó a recitarlo, casi involuntariamente.

Vagaba solo como una nube
sobre valles y colinas,
Cuando de pronto vi una multitud
de narcisos amarillos;
Bajo los árboles, a la vera del lago,
Bailando y aleteando con la brisa.

—Es encantador —dijo Meredith.

—¿No te lo enseñaron en la escuela?

—No.

Patsy prosiguió:

—La última estrofa es la que más me gusta. ¿Quieres escucharla?

—Sí, por favor. Recitas muy bien.

Y Patsy continuó:

Pues a menudo, cuando en mi lecho yazgo,
Estando distraído o reflexivo,
Destellan sobre ese ojo interno
Que es la bendición del solitario;
Y el alma se me colma de placer,
Y danza acompañando a los narcisos.

—Es realmente bello —dijo Meredith, sonriéndole—. Apacible... y sereno.

—Ésa es la sensación que me causa.

—Creo que he oído esa última estrofa. En alguna parte. Pero no sé dónde —murmuró Meredith—. No fue en la escuela, eso sí.

Por un par de segundos hurgó en su cerebro, pero por mucho que se esforzara no podía recordar. El poema había despertado un acorde en su memoria, aunque no pudiera aislarlo. El fugaz recuerdo se le escabullía.

Patsy comentó:

—Por desgracia no tengo fotos de la otra posada, la de Ripon. Los Miller, sus propietarios, tenían algunas fotos muy buenas, pero no llegaban a captar el espíritu de ese lugar, su alma. Por eso decidí no aceptarlas. Tendrás que juzgar personalmente cuando lleguemos.

—No es problema. —Meredith la miró con atención. —A ti te gusta Skell Garth, ¿verdad?

—Oh, sí, Meredith. Mucho. De otro modo no te arrastraría hasta allá —le aseguró Patsy—. La ubicación es estupenda y el paisaje te deja sin aliento. Es pintoresco. Y desde la hostería tienes una vista fabulosa de la abadía Fountains, una de las ruinas más bellas de toda Inglaterra. Sí, Skell Garth es un sitio inigualable.

—Skell Garth —repitió Meredith—. ¿Sabes que me pareció un nombre extraño cuando me lo mencionaste?

—Supongo que lo es. Permite que te explique. El Skell es un río que cruza Ripon y las tierras en las que se alzan la posada y la abadía. Garth es una antigua palabra de Yorkshire que significa "campo". Muchos de los agricultores locales siguen llamando "garths" a sus sembrados.

—Así que el nombre significa, en realidad, "campo del río Skell". ¿Acerté?

Patsy rió, encantada por la sagacidad de Meredith.

—¡Por completo! Todavía haré de ti una paisana de Yorkshire.

Las dos amigas y socias pasaron un rato conversando sobre las posadas, mientras bebían el vino blanco. Luego se enzarzaron en una larga y compleja discusión de negocios.

Fue Patsy quien la interrumpió súbitamente al levantarse de un salto:

—¡Oh, Dios mío, qué olor espantoso! Espero que el almuerzo no se nos haya hecho carbón —exclamó.

Y bajó volando las escaleras hacia la cocina.

Meredith cargó tras ella.

La encontró en cuclillas delante del horno, removiendo en la fuente del asado con una cuchara de mango largo.

—¿Se arruinó? —preguntó Meredith, preocupada.

—No, por suerte. —Patsy cerró la puerta del horno y se incorporó con una sonrisa. —Una o dos patatas están algo chamuscadas en los bordes, pero el cordero se salvó. Son las cebollas las que se carbonizaron. Bueno, todo está listo, más o menos. Espero que tengas mucha hambre, porque preparé un montón de comida.

—Estoy famélica. Pero no tenías por qué tomarte tantas molestias. Yo quería invitarte a almorzar, afuera o en el hotel.

—Me gusta cocinar de vez en cuando —le aseguró Patsy—. Me recuerda mi niñez, allá en Yorkshire. Además, Meredith, no es muy frecuente que te sirvan un almuerzo inglés tradicional, ¿verdad?

Meredith rió entre dientes.

—No, y tengo ganas de disfrutarlo.

5

Era una tarde ventosa.

Las hojas sueltas se arremolinaron en torno de sus pies en tanto caminaba por Green Park; su capa de *tweed* crema, larga hasta los pies, se henchía de vez en cuando.

A Meredith no le molestaba el viento. El sol contrarrestaba las ráfagas súbitas y el frío del aire. Además, era un placer estirar las piernas después de pasar tanto tiempo sentada, durante el almuerzo.

Pero la había divertido esa visita a Patsy, su vieja amiga y socia, para ponerse al día con todo lo comercial y personal. Por otra parte, a Meredith le encantaba esa casita de muñecas, viejo establo remodelado de Belgravia; la casa tenía cuatro pisos y su decoración era encantadora, muy en el estilo que utilizaban en las posadas: un lozano aspecto campesino, logrado con antiguas piezas de madera, y una hábil combinación de telas interesantes, colores intensos, bien coordinados entre sí, y una selección de accesorios originales.

Mientras caminaba, sus pensamientos se fijaron en Patsy, a quien tenía mucho cariño. Las había presentado Henry Raphaelson, su banquero de Nueva York, en 1984. Henry conocía a Patsy desde sus tiempos de adolescente, pues había sido íntimo amigo y socio comercial de su padre, banquero mercantil de la City, hasta el día de su muerte.

Patsy y Meredith se encariñaron de inmediato. Después de varias reuniones constructivas decidieron asociarse para abrir en Londres una sucursal de Havens Incorporated.

En los años siguientes Patsy había demostrado ser toda una adquisición para la empresa. Era sólida como la roca, trabajadora, responsable y leal. Aunque no tan visionaria ni imaginativa como Agnes D'Auberville, compensaba esa pequeña deficiencia con su gran sentido común. Además, su talento para las relaciones públicas había beneficiado a Havens. No había en Inglaterra otro hotel que recibiera tanta publicidad y atención periodística como Haddon Fields. De hecho, en sus diez años de existencia la posada de los Cotswolds nunca había recibido una crítica negativa.

Cuando Meredith expresó interés por abrir un hotel en Francia, Patsy la llevó a París para presentarle a Agnes D'Auberville. Las dos habían estudiado en la Sorbona por la misma época; allí se conocieron y desde entonces eran buenas amigas.

Agnes, como Patsy dos años antes, buscaba invertir cierto dinero heredado en un negocio en el que pudiera participar plenamente. Por eso saltó de alegría ante la posibilidad de abrir una sucursal parisina de Havens Incorporated y se lanzó con entusiasmo a la creación de nueva hostería.

Meredith y Agnes habían hallado el Château de Cormeron, situado en las riberas del bello río Indre, en el centro del valle del Loira. Después de comprarlo dedicaron casi un año a ponerlo en las debidas condiciones, transformándolo en hostería. Hubo que cambiar los pisos en muchas de las habitaciones, reparar los cielos rasos e instalar aire acondicionado y calefacción central; las tuberías de agua tuvieron que ser reemplazadas casi por completo, al igual que la instalación eléctrica. Luego lo decoraron en el estilo adecuado; utilizaron principalmente muebles de la campiña francesa, estupendos tapices viejos, lujosas telas tradicionales y accesorios únicos, comprados a los anticuarios locales.

Se entregaron a la labor con una tremenda cantidad de energía, esfuerzo, talento y dinero, pero la transformación era deslumbrante y ambas sabían que valía la pena.

Para gratificación de ambas, el pequeño hotel resultó ser un verdadero éxito. Château de Cormeron estaba cerca de muchos grandes castillos del Loira, como Chinon, Chenonceaux, Azay-le-Rideau, Loches y Montpoupon, todos abiertos al público y preferidos por los visitantes extranjeros.

Los turistas con buenos automóviles gravitaban hacia el encantador Château de Cormeron, que estaba ganando celebridad por su lujo, sus comodidades y lo superlativo de su servicio, además del ambiente bucólico y la proximidad con los castillos tan famosos. Y el hecho de que el hotel contara con uno de los mejores restaurantes de la región no le hizo ningún daño.

Agnes D'Auberville resultó ser tan buena amiga como Patsy, además de una socia muy digna de confianza. Las tres mantenían una grata relación.

Patsy estaba divorciada, como Meredith, y tenía dos hijos: dos varones gemelos de diez años, que estudiaban en un internado. Agnes tenía treinta y ocho años, como ella, y estaba casada con Alain D'Auberville, un célebre actor de teatro, con quien tenía una hijita de seis años llamada Chloe.

"He tenido suerte con ellas —pensó Meredith, mientras completaba su vuelta por Green Park y salía a Piccadilly—. Nos compenetramos muy bien y ellas han hecho un aporte decisivo para que Havens tuviera éxito en Europa."

Al llegar al hotel Ritz se detuvo junto al cordón, esperando que cambiara el semáforo. Luego cruzó Piccadilly para volver al Claridge de la calle Brook.

A Meredith siempre le había gustado caminar por Londres; disfrutando de su caminata, vigorizada por el aire frío y el ejercicio, viró por Hay Hill hasta llegar a Berkeley Square. Pero al atravesar la plaza no pudo dejar de pensar que el pequeño parque central parecía algo melancólico, por sus árboles desnudos y los parches de nieve sucia que cubrían el césped marchito, oscurecido.

En cambio la complació contemplar los encantadores edificios antiguos de Mayfair, la zona que mejor conocía en todo Londres. Hacía veintiún años que visitaba la ciudad, desde su casamiento con David Layton, en 1974. En aquella época tenía veintitrés años y era muy joven en muchos aspectos, aunque en otros fuera bastante madura.

Inglaterra le había causado una impresión imborrable. Se sentía a gusto en sus costas y le gustaban los británicos, tanto por su idiosincrasia como por sus buenos modales y su cortesía, por no mencionar su gran sentido del humor.

David Layton era un inglés trasplantado; cuando ella lo conoció, vivía y trabajaba en Connecticut. Después de la boda, celebrada en Silver Lake, la llevó a Londres para presentarla a su hermana Claire, el marido y los hijos.

Meredith quería a David, lo suficiente como para casarse con él, y lamentó que el matrimonio naufragara. De nada sirvieron los sinceros esfuerzos que ambos hicieron por salvarlo; por fin decidieron que el divorcio era la mejor, la única solución.

Lo único bueno que había resultado de esa unión, bastante dudosa y tenue, era Jonathan. Lo triste es que David ya nunca veía a su hijo. En la década de 1980 se había mudado a California y desde entonces no hacía ningún esfuerzo por cruzar el país para ver a Jonathan. Tampoco lo había invitado nunca a visitarlo en la Costa Oeste.

"Es él quien se lo pierde", murmuró Meredith por lo bajo. Habría deseado que las cosas fueran diferentes, cuanto menos por el bien de su hijo, aunque a Jon no parecía molestarle el olvido. Ni siquiera mencionaba al padre.

Meredith era la primera en admitir que educar sola a sus hijos durante todos esos años le había exigido mucho esfuerzo. Pero Jon le había salido bueno, igual que su querida Cat, así que todo valía la pena: el duro trabajo, los sacrificios, los compromisos, los mimos, la severidad y el amor incondicional. Ser buena madre había tenido un costo en su vida, pero estaba orgullosa de sus hijos. Y también, de un modo extraño, se sentía orgullosa de sí misma.

En esos años en que criaba sola a Cat y a Jon, además de organizar y desarrollar su empresa, había tenido poco tiempo para conocer a otros hombres, mucho menos para entablar relación con alguno. Salió con algunos en ese período, sí, pero siempre se les interponían el trabajo y los chicos. Muy en el fondo, a ella no le importaba. Sus hijos eran todo su mundo, entonces y aun ahora.

Cuatro años antes, ya en circunstancias propicias, había conocido a Brandon Leonard. Pero él estaba casado. Meredith descubrió inmediatamente que no sólo no estaba separado, como aseguraba, sino que no tenía intención alguna de abandonar a su mujer o de pedir el divorcio. Así de sencillo: Brandon quería a su mujer. También quería una amante. Y como ella no era candidata adecuada para ese último papel, había dado por terminada la relación.

En los últimos meses, durante un viaje a Londres que hizo en septiembre, Patsy la había llevado a una exposición de escultura que se inauguraba con bombos y platillos en la lujosa Lardner Gallery, de Bond Street. Allí, entre Arps y Brancusis, entre Moores, Hepworths y Giacomettis, acechaba Reed Jamison, el propietario de la galería. Alto, moreno, apuesto y carismático: el hombre más atractivo que ella conociera en mucho tiempo. Y muy disponible, al parecer.

—¡Ojo! —le advirtió Patsy. Cuando ella le preguntó qué quería decir, explicó: —Cuídate. Es brillante, pero difícil. —Una vez más ella había insistido, pidiendo aclaración. La enigmática respuesta fue: —Dios nos libre de los melancólicos héroes de Byron. ¡Ay, esos matices a la Heathcliff!

Meredith sólo comprendió a medias. Un instante después, tras haberle echado el primer vistazo, Reed Jamison iniciaba su apasionado cortejo.

En un primer momento ella cayó bajo su hechizo, pero en los meses siguientes comenzó a sentirse incómoda en su compañía. Entonces empezó a desprenderse interiormente de esa relación.

Durante el último viaje que Reed hizo a Nueva York, en el mes de noviembre, ella acabó de enfriarse. Lo notaba hosco, discutidor y posesivo. Más aún: había detectado en él una actitud autoritaria que la alarmó.

Esa misma noche iba a decirle que no quería volver a verlo, que la relación había terminado. La perspectiva no la entusiasmaba, pero sabía que era necesario.

—¿A qué molestarte? —Le había dicho Patsy, durante el almuerzo—. Cena esta noche con él y no digas nada. Mañana iremos al Distrito de los Lagos y a Yorkshire. Y después te vas a París. Que esto no te amargue, si puedes evitar una confrontación desagradable.

—Tengo que decirle que se terminó —respondió Meredith—. ¿No te das cuenta? Mientras no le diga claramente que no quiero verlo más seguirá rondándome y arruinándome la vida.

—¿Qué es lo que salió mal? —preguntó Patsy, con curiosidad.

—Él mismo. Es un hombre demasiado complejo para mí.

—Lamento recordártelo, pero te lo advertí.

—Tienes razón, Patsy. Me lo advertiste. Y tenías toda la razón.

Después habían pasado a hablar de otras cosas, pero ahora Meredith se preguntaba si su amiga no estaría en lo cierto. Tal vez fuera más sencillo cenar con Reed y no decirle nada. "Puede que lo haga", pensó, mientras giraba hacia la calle Brook.

—Buenas tardes, señora —la saludó el portero uniformado del Claridge, al verla subir los peldaños.

—Buenas tardes —respondió ella, con una sonrisa.

Y empujó la puerta que conducía al interior.

Mientras cruzaba el vestíbulo hacia el ascensor la saludó también Martin, uno de los conserjes.

—¡Meredith!

Se detuvo en seco, petrificada, al reconocer esa cultivada voz masculina.

Giró en redondo, con una sonrisa pegada al rostro, para acercarse al hombre que la había llamado por su nombre.

—¡Reed! ¡Hola! Pero llegas algo temprano, ¿no te parece?

Él le rodeó la cintura con un brazo, sonriente, y se inclinó a darle un beso en la mejilla.

—He venido a tomar el té con unos amigos. —Movió la cabeza hacia el salón, señalando una mesa ocupada por un grupo de personas.

—Cuánto me alegro de verte, querida —prosiguió él, mirándola a los ojos—. Te echaba de menos. Pero ya te lo dije por teléfono, esta mañana. Justamente salía para llamar a tu habitación y proponerte que bajaras a reunirte con nosotros.

La tomó con firmeza del brazo, tratando de llevarla hacia el salón. Meredith se mantuvo en su sitio y meneó la cabeza.

—No puedo, Reed. Eres muy amable al invitarme y te lo agradezco, pero hay varias cosas que debo hacer antes de cenar. —Echó un vistazo al reloj. —Son casi las cinco. Seguimos citados para las seis y media, ¿no?

—Por supuesto, a menos que quieras adelantar la hora. ¿Por qué no te quedas con nosotros? —insistió, tratando una vez más de llevarla hacia el salón.

Ella pidió con tono suave:

—Por favor, Reed, no hagas una escena aquí. No puedo tomar el té con ustedes. Debo hacer varias llamadas telefónicas y cambiarme para la cena.

Él la soltó abruptamente y se apartó un paso.

—Está bien —aceptó, gruñón—. No te acicales demasiado. Voy a llevarte a los arrabales.

Meredith lo obsequió con una fraudulenta sonrisa.

—Hasta dentro de un rato, Reed —murmuró.

Sin darle oportunidad de decir una palabra más, giró sobre sus talones y caminó deprisa hacia el ascensor.

Una vez en sus habitaciones, arrojó la capa a un lado y entró en el dormitorio, desabotonándose la chaqueta. Después de observar la ropa que pendía en el armario, se decidió por un traje negro con pantalón. Muy en el fondo, se lamentaba de haber conocido a Reed Jamison.

6

A las seis y media en punto se oyó un golpecito a la puerta de la suite; debía de ser Reed Jamison.

Meredith salió del dormitorio y, antes de abrir, fijó en la cara una sonrisa simpática.

—Espero no llegar demasiado temprano —dijo Reed, mientras le daba un beso en la mejilla.

—A la hora exacta —respondió ella, haciéndose a un lado para darle paso—. En cuanto recoja mi abrigo y mi bolso podemos salir.

—Oh, pero es demasiado temprano para ir al restaurante, querida. ¿Por qué no tomamos una copa aquí, para empezar?

Él dejó su abrigo en una silla y caminó con elegancia hasta el centro de la salita. Después de recorrerla con una amplia mirada, fue a acodarse contra la repisa del hogar.

—Bueno —aceptó Meredith, esforzándose por mostrarse cortés, aunque le disgustaba que él hubiera subido a sus habitaciones, en vez de telefonearle desde el vestíbulo. Oprimió el timbre para llamar al camarero del piso. —¿Qué quieres beber? —preguntó, carraspeando.

—Whisky con soda, querida, por favor.

—¿Dónde vamos a cenar? —preguntó ella, por entablar conversación.

—¡Ajá, es una sorpresa!

—Dijiste que iríamos a los arrabales.

—Voy a llevarte a un estupendo restaurante chino. No es muy frecuentado, pero te gustará. Tiene un agradable color localista y sirve la mejor comida china de Londres. Además es auténtica, no esos sucedáneos que sirven en los restaurantes finos del West End.

—Qué bien —murmuró ella.

Y salió al vestíbulo de la suite para recibir al camarero. Después de pedir las bebidas, volvió a sentarse junto al fuego.

Reed la miró intensamente, cambiando un poco de posición para inclinarse hacia adelante.

—La verdad es que estoy fastidiado contigo, querida.

—¿Y por qué? —Meredith lo miró con aire interrogante.

—¿Porque no quise bajar a tomar el té con tus amigos?

—No, no. Eso no tuvo importancia, por supuesto. Pero me sorprende que fueras a almorzar con Patsy cuando yo te había invitado a venir a mi casa.

Ella quedó desconcertada.

—¡Pero Reed! Patsy y yo teníamos muchos asuntos que discutir. La semana pasada, desde Nueva York, te dije que tenía muchas cosas que hacer en este viaje y...

—¡Oh! —interrumpió él, con una risa sardónica—. ¿Y no podías arreglarlas con Patsy por teléfono?

—¡No, no podía! —contraatacó ella, elevando la voz en su exasperación. Estaba irritada; una vez más comprendió que él no tomaba en serio su trabajo. Reprimió un arrebato de impaciencia, prosiguió con más calma. —Teníamos asuntos comerciales que discutir. Yo estaba deseando verla.

—Pero no deseabas verme a mí.

—Reed, por favor...

El camarero golpeó y entró con una bandeja. Meredith se levantó a darle las gracias y le entregó algunas de las monedas que tenía en un cenicero para las propinas. Después de entregar una copa a Reed, tomó la suya y volvió al sofá.

—Salud —dijo él, tomando un sorbo de su whisky con soda.

—Salud. —Ella se limitó a mojarse los labios y dejó la copa en la mesa ratona. Esa noche no tenía deseos de beber.

Reed la miró una vez más; ahora sonreía. Para Meredith fue un alivio que hubiera pasado el momento incómodo. Le pareció que esa noche estaba menos taciturno. Y por cierto se lo veía de mejor humor que cuando lo había encontrado en el vestíbulo, rato antes.

—¿Le has dicho a Patsy que piensas mudarte a Londres dentro de unos meses? —preguntó él.

Meredith lo miró boquiabierta.

—¿De dónde sacas eso, Reed? No pienso mudarme a ninguna parte.

—Cuando estuve en Nueva York, en noviembre, me diste a entender que pensabas vivir en Londres.

—Nunca dije eso.

—¡Oh, Meredith, cómo puedes negarlo! Prácticamente te propuse casamiento; te dije que para mí era difícil seguir así, que no podíamos continuar un noviazgo separados por el océano Atlántico. Dejé bien en claro que te quería aquí, conmigo. Muy en claro. Y tú aceptaste, por cierto.

—¡Eso no es cierto, Reed!

—¡Claro que sí!

—Lo imaginaste tú solo. Por nada del mundo te induciría a creer semejante cosa.

Él la miró con incredulidad; sus ojos oscuros se encendieron en súbito enojo.

—Recuerdo muy bien haberte dicho que te necesitaba conmigo en Londres. Y tú accediste a venir.

Meredith no recordaba haber hecho semejante cosa. Cuando estaba por rebatirlo, él fue a sentarse a su lado en el sofá.

—¿Qué te pasa, querida? ¿Por qué te comportas así? —preguntó, acercándose más, con un brazo apoyado a lo largo del respaldo—. No te pongas difícil, querida. Bien sabes lo que siento por ti. Te necesito, Meredith, y te necesito aquí, no en Nueva York. En Londres, viviendo conmigo. Te lo dije cuando estaba en los Estados Unidos. Supuse que liquidarías la empresa para mudarte cuanto antes. Para instalarte definitivamente aquí, conmigo.

—No sé cómo pudiste interpretar eso, Reed. No tengo ninguna intención de liquidar mi empresa.

—Entonces no lo hagas, querida. Si quieres trabajar, puedes hacerlo, aunque en realidad no hace falta. Con lo que yo tengo podemos mantenernos muy bien, como sabes. Olvídate de la galería; es sólo un entretenimiento sin importancia. Pero recuerda que recibo una gran suma por mi fondo en fideicomiso. Monty es el hijo mayor y será quien herede el título del viejo, pero yo tengo el dinero de mamá.

Meredith lo miraba sin saber qué decir, llena de consternación. De pronto Reed la encerró entre sus brazos. Era un hombre alto, fuerte y de buena contextura. La sujetó con fuerza, como una morsa, oprimiendo la boca contra la de ella.

Entre forcejeos, ella logró empujarlo un poco y se irguió en el sofá, tratando de liberarse. Inesperadamente, Reed la soltó con la misma brusquedad y la miró extrañado.

—¿Por qué te apartaste de mí con tanta violencia, como

si yo fuera un leproso? —preguntó en voz baja y glacial—. ¿Qué pasa?

Meredith se mordió los labios sin decir nada. Luego se levantó de un salto y se alejó hacia la ventana.

Un frío silencio llenó la habitación.

Ella miraba hacia afuera, temblando por dentro. Quería terminar de una vez. Acabar con él. Poner fin a todo eso con tanta elegancia como pudiera. Pero él se mostraba difícil; peor aún: imaginaba cosas que nunca habían sucedido.

Un momento después, ya más tranquila, se volvió para enfrentarlo y dijo, con su voz más amable:

—Escúchame, Reed. Las cosas ya no... bueno, ya no marchan bien entre nosotros. Desde hace varias semanas.

—¡Cómo cuernos puedes decir eso, con lo que disfrutamos en Nueva York! Hace apenas un mes, a menos que yo esté muy equivocado.

Meredith meneó la cabeza, más consternada aún. Quería ser considerada, romper sin herirlo, pero sabía que era preciso expresarle sus sentimientos con absoluta claridad.

—No es así, Reed. Al menos, yo no lo sentí así. Me di cuenta de que tú y yo éramos totalmente incompatibles y que no podíamos llevarnos bien. Empecé a sentirme incómoda contigo. Tuve la certeza de que nuestra relación naufragaba, que no podía funcionar.

—Eso no es cierto y tú lo sabes. Las cosas serían muy diferentes si vivieras aquí, en vez de manejar nuestras relaciones a larga distancia. Por favor, múdate a Londres para estar conmigo, Meredith.

—Acabo de explicarte, Reed, que en cuanto a mí concierne esto no tiene futuro. De cualquier modo, estoy muy dedicada a mi empresa.

—Oh, no sigas con eso, Meredith. Por mucho que te empeñes, no me harás creer que has nacido para empresaria. Yo no podría amar a una mujer de ese tipo. Y a ti te amo.

Meredith guardó silencio.

—Te amo —repitió él.

—Oh, Reed, lo siento. Es que yo no siento lo mismo.

—No es eso lo que me indujiste a creer —observó él con suavidad, entornando los ojos.

—Admito que en el otoño estaba deslumbrada por ti. Eso es cierto. Pero era sólo un deslumbramiento que no estaba destinado a durar mucho. No puedo aceptar un vínculo estable contigo. No puedo.

—Pero si hemos pasado tan buenos momentos juntos, Meredith, ¿por qué dices eso?

Ella aspiró hondo.

—Me di cuenta muy pronto de que no tomas mis cosas en serio. Ni mi vida personal, con mis hijos, ni mi trabajo, por cierto. No estoy dispuesta a desentenderme de mis hijos por ti ni por nadie. Y jamás renunciaré a mi trabajo. Para mí es muy importante. En mi empresa he puesto demasiados años y muchísimo esfuerzo.

—No estás respondiendo como lo esperaba de ti, Meredith —dijo él. Su voz se había vuelto súbitamente fría y despreciativa. —No, en absoluto. Te creía diferente. Creía que eras una mujer a la antigua, con valores a la antigua. ¡Cómo me equivoqué! No puedo creer que mi impresión fuera tan errónea. Tal vez me engañaste. —Enarcó una ceja oscura.

Meredith contestó en tono glacial:

—Mira, Reed, acabas de poner el dedo en la llaga. Siento la carga de tus expectativas y no puedo manejarla. En noviembre empecé a darme cuenta de que creías ser lo primero en mi vida. Me temo que no es así. Si quería verte esta noche era justamente para explicarte esto, para decirte lo que sentía y terminar con esta relación.

Reed Jamison quedó estupefacto. En sus cuarenta y un años de vida nunca había sido descartado por una mujer. Siempre era él quien iniciaba los amoríos o les ponía fin, controlando, manipulando los cordeles de la marioneta para salirse con la suya. Seguía mirando a Meredith. Era la única mujer que lo había vencido. Una ira terrible empezaba a fulminarlo. Se levantó de un salto, con los ojos llameantes.

—¡Me alegro de haber descubierto qué clase de mujer eres! ¡Antes de cometer el espantoso error de casarme contigo! —gritó.

Sin una palabra más, cruzó la habitación a grandes pasos, recogió su abrigo y salió, dando un portazo tan feroz que la araña se balanceó en el extremo de la cadena.

Meredith corrió a echar llave y pasó unos segundos apoyada contra la puerta. Estaba temblando. Ya más serena, se sentó ante el escritorio para marcar el número de Patsy. El teléfono sonó y sonó. Cuando estaba por cortar, oyó la voz de su amiga:

—¿Hola?

—Soy yo, Patsy. Reed estuvo aquí y le dije que habíamos terminado. Se ha ido furioso.

—Bueno, qué alivio. Que hayas cortado, quiero decir. Y es natural que se fuera echando sapos y culebras: no está habituado a que lo larguen sin ceremonias. Ése es parte de su problema, ¿sabes? Siempre ha sido el mimado de las mujeres; está convencido de que es un don del cielo para todo lo que vista faldas.

—Sí, te entiendo. También es un cerdo machista, para

usar una frase muy anticuada. Pero viene al caso. Es algo que me pareció detectar cuando estuvo en Nueva York. No toma en serio mi empresa ni mi vida. Está tan pagado de sí mismo que no se explica por qué no corro a instalarme en su casa. Dijo que quería casarse conmigo.

—¡Te propuso casamiento! ¡Dios mío! Bueno, debes de haberlo conquistado por completo, amiga mía. Desde que se divorció de Tina Longdon ha sido del tipo "toco y me voy".

—No estoy segura de entender.

—Ya sabes, el tipo de hombres que te dicen: "Si me amas, yo pongo las condiciones, querida. Gracias por todo y adiós". Aquí los llamamos "toco-y-me-voy". Conozco a varias mujeres que han sufrido a manos de Reed.

—¿Y por qué no me avisaste?

—Lo hice, Meredith. Cuanto menos, traté de advertirte lo mejor que pude. Te dije que era un hombre difícil.

—En realidad, me dijiste que era un melancólico héroe de Byron, o algo por el estilo. La verdad es que no acabé de entender.

—Oh, ése es sólo el papel que representa desde hace años. Es una pose. Pero supongo que resulta efectiva con las mujeres. Lo cierto es que no necesita de ninguna pose. Aparte de su pinta, generalmente es encantador, a pesar de ese carácter fatal.

—Muy cierto. Pero ¿crees que a las mujeres les gusta esa... esa pose doliente?

—Oh, creo que sí. A muchas les gusta. Los ojos apasionados, la expresión melancólica, la actitud mohína suelen ser atractivos. Son muchas las mujeres que se vuelven locas por los sufrientes y angustiados Heathcliff de este mundo. Quieren cambiarlos, hacerlos felices. —Patsy hizo una pausa. —¿No fue eso lo que te atrajo en él, en parte?

—No —respondió Meredith de inmediato—. Si quieres que te diga la verdad, sólo en noviembre se mostró taciturno y malhumorado, cuando estuvo en Nueva York. Para mí fue irritante.

Patsy se echó a reír.

—¡No lo dudo! Bueno, lo principal es que no pareces sentirte mal por haberlo dejado.

Meredith también rió.

—Cierto. Ofender los sentimientos ajenos no es algo que me apasione, pero tenía que decírselo. Necesitaba cerrar esta historia.

—Comprendo.

—Me pareció que era justo hacerle saber lo que yo pensaba. Y cuanto antes. Era mucho mejor despejar el ambiente y cortar, en vez de seguir prolongando las cosas. Ese tipo de situaciones puede terminar con mucho rencor.

—¡A quién se lo dices! —exclamó Patsy—. Tony lleva años amargado por lo de nuestro divorcio. Me culpa a mí, por supuesto. Oye, ¿quieres venir a cenar? O podemos salir, si no quieres estar sola...

—Eres muy amable, pero esta noche prefiero quedarme en el hotel. Voy a pedir que me traigan la cena a mi cuarto mientras hago el equipaje. ¿Dijiste que pasarías por mí a las seis de la mañana?

—Sí. Lo siento, pero hay que partir temprano. Tenemos cuatro horas de viaje; tres y media, si el tránsito es rápido. Pasaremos un par de horas en Keswick antes de bajar a Ripon. Es mucho quehacer para un solo día. En realidad, tal vez debamos pasar la noche en Ripon.

—No hay problemas. Oye, Patsy.

—¿Sí?

—Espero no haberlo ofendido demasiado. ¿Qué te parece?

—Es posible que sí. No subestimes el efecto.

—Puedo haberlo herido en su orgullo, pero eso es todo.

—De eso estoy segura, Meredith. Pero también creo que Reed, nuestro encantador *playboy*, estaba muy enamorado de ti. Siempre he pensado lo mismo. Oh, bueno, qué se le va a hacer. Por fin se encontró con la horma de sus zapatos.

7

A Meredith le costó conciliar el sueño.

Pasó largo rato dando vueltas y vueltas hasta que por fin, ya exasperada, se levantó. Abrigada con una bata de lana, fue a sentarse en el sofá de la salita. Su mente galopaba.

Al acostarse no había corrido los cortinados de terciopelo; el claro de luna se filtraba por la muselina que pendía contra los vidrios. Todo tenía un lustre plateado. El cuarto estaba apacible.

Meredith se reclinó contra los almohadones de seda, pensando en Reed. Qué desagradable había sido la ruptura. Y qué tontería la suya, haberse enredado con él. A los cuarenta y cuatro años habría debido ser más prudente.

Tenía muy mala suerte con los hombres. Siempre.

No, eso no era del todo cierto.

Había existido un hombre. Una sola vez. Un hombre que era perfecto para ella. Y había muerto. Demasiado joven. "Qué muerte tan prematura", habían dicho todos. Y era la verdad.

¿No era una jugarreta espantosa, que Dios te hiciera morir a los treinta y seis años?

Meredith se había hecho mil veces esa pregunta, esforzándose por hallar algún sentido especial a esa muerte prematura y horrible. No halló ninguno. No tenía ningún sentido.

Y a ella sólo le había quedado el vacío.

Tenía a Cat, por supuesto, casi un bebé entonces, y a Amelia, la pobre Amelia. Ambas habían compartido con ella ese vacío, ese dolor. Cuánto lo lloraron, interminablemente... Ella y Amelia. Sus mujeres. Las mujeres que lo habían amado.

"Lo lloraré toda la vida —pensó Meredith, sintiendo que la vieja tristeza familiar le llenaba la garganta—. Oh, Jack, ¿por qué tuviste que morir?" ¿Cuántas veces se lo había preguntado, en el silencio de su mente? No había respuesta. Nunca había tenido respuesta en veintidós años.

¿Y cuántas veces se había preguntado cuándo encontraría a otro hombre como Jack? Jamás: ahora lo sabía, porque los hombres como él eran muy pocos y ya estaban comprometidos. Jack se comprometió muy joven, cuando sólo tenía veintidós años, y se casó con el amor de su juventud: Amelia. Poco después, un día terrible, ella fue arrojada por su caballo; tenía sólo veinticinco años y estaba embarazada. Además de perder al bebé, quedó inválida de por vida: una parapléjica atrapada en una silla de ruedas. Pero él la amaba; Amelia era su tesoro y sería siempre su esposa. Cuando se lo dijo a Meredith, ella comprendió, porque ella también quería a Amelia. Y Amelia los amaba a ambos, a ella y a Jack. Y también a Cat. A su modo, silenciosa y sonriente, Amelia les había dado su bendición, llena de gratitud por el cariño y la lealtad que ambos le daban.

Jack.

Rubio, bronceado, de ojos azules. Tan rápido, ágil y enérgico. Lleno de buen humor, de cuentos exagerados, de risas y vida. No era de extrañar que ella se hubiera enamorado instantáneamente, el primer día en que lo vio. Un *coup de foudre.*

Hacía ya tanto tiempo...

Mayo de 1969.

Ella acababa de cumplir los dieciocho años.

Meredith cerró los ojos. Detrás de sus párpados veía el rostro de Jack. Recordó lo que le había cruzado por la mente ese día, mientras le sostenía la mirada, apresada por esos ojos hipnóticos.

"Qué cara hermosa para ser de hombre. La boca tan sensible, y esos ojos extraordinarios, de un azul encantador. Trocitos de cielo —había pensado ella—. Sus ojos son como trocitos de un cielo de verano."

Ahora, tantos años después, Meredith se vio a sí misma tal como había sido en aquella tarde de primavera. Las imágenes de los tres flotaron ante sus ojos, tan claras, tan vívidas... Ella, Jack y Amelia.

Las décadas se desprendieron.

—Cayó hacia atrás en el tiempo. Cayó hacia atrás, en el pasado.

—¿En qué puedo serle útil? —preguntó cortésmente el joven, levantándose de los peldaños donde estaba sentado. Se quitó las gafas oscuras de carey para mirarla con atención.

Meredith le sostuvo la mirada.

—Busco a un señor Silver —respondió, mientras desmontaba de la bicicleta. En su prisa estuvo a punto de caer. Se sentía confusa y tímida frente a ese hombre apuesto, tan atildado, de pantalones grises y suéter de cachemira azul sobre una camisa celeste.

El hombre se acercó a ella con la mano extendida.

—Bueno, ya lo ha encontrado —anunció—. El señor Silver soy yo.

—¿El señor Jack Silver? —insistió ella, estrechándole la mano.

Él asintió.

—En efecto. El único señor Silver que está vivito y coleando. Al menos, hasta donde yo sé. Los demás están por ahí. —Señaló una fracción de terreno a sus espaldas.

Meredith siguió la dirección de su mirada y vio un pequeño cementerio amurallado, a la derecha de un bosquecillo.

—¿Tienen cementerio propio? —preguntó con gran respeto.

Él asintió. Luego puso cara de interrogación.

—¿En qué puedo servirla?

—Vine por el aviso del diario. Pedían una recepcionista.

—Ah, sí, por supuesto. ¿Con quién tengo el gusto de hablar?

—Soy Meredith Stratton.

—Hola, Meredith Stratton. ¡Encantado de conocerla! —exclamó él, alargándole la mano una vez más—. ¡Encantadísimo, en verdad, Meredith Stratton!

Ella le estrechó la mano por segunda vez. El hombre no la soltó. Le sonreía, con una sonrisa ancha y cálida que mostraba una hermosa dentadura, muy blanca en la cara bronceada.

Meredith le devolvió la sonrisa. Le caía bien.

Él echó a reír, sin motivo aparente.

Ella rió también, instantáneamente cautivada por ese hombre al que veía por primera vez.

Sin soltarle la mano, el joven la guió con su bicicleta hasta la entrada.

—Pase. Pero tendrá que dejar su transporte aquí afuera —invitó, muy sonriente.

Meredith asintió, con los ojos brillantes. Luego retiró la mano para apoyar la bicicleta contra la barandilla del porche.

—Linda bicicleta, la suya.

—No es mía. La pedí prestada. No tenía otro modo de llegar hasta aquí.

—¿De dónde viene?

—De New Preston. Estamos viviendo allá arriba, junto al lago Waramaug. —Apartó la vista hacia el lago, allí donde terminaban los extensos prados y los jardines floridos. —Éste es muy bonito —murmuró.

—Silver Lake —informó él—. Hasta hace algunos años... más de un siglo, en realidad, tenía un nombre nativo. Wappaconaca. Pero un antepasado mío compró estas tierras y la gente de la zona tomó la costumbre de llamarlo así. Y el nombre quedó. Ésta es la hostería Silver Lake, por supuesto, construida en 1832 por ese mismo antepasado. Este año cumplirá los ciento sesenta y tres.

Meredith contempló la posada.

—Qué edificio antiguo y hermoso.

—Venga, pase. Quiero presentarle a Amelia.

En cuanto cruzó el umbral de la hostería comprendió que era un sitio muy especial. Las paredes estaban pintadas de un rosa agrisado, que daba al vestíbulo de entrada una sensación cálida y optimista. El suelo estaba tan encerado que brillaba como un espejo oscuro. Había allí un armario tallado, dos sillas de respaldo alto y un pequeño escritorio, obviamente antiguos y valiosos hasta para su vista de lega.

Por doquier había flores frescas en altos jarrones de cristal y plantas en cuencos de porcelana china; la invadió una mezcla de fragancias: mimosa, jacintos, narcisos, mezclados con cera de abejas, limones y rosas secas, y manzanas maduras que se horneaban en algún lugar.

Meredith apreció todo, sobrecogida. Sin embargo, la colmaba un entusiasmo extraño, un placer que nunca había sentido. Cruzó los dedos, pidiendo a Dios que le dieran el puesto. Al ver el pequeño escritorio antiguo, con su lámpara de porcelana y su teléfono, no pudo dejar de pensar en lo bonito que sería sentarse allí como recepcionista y saludar a los huéspedes. Le parecía mucho más atractivo que pasarse el día cuidando niños, aunque le gustaban mucho los niños.

Jack la condujo por un corto pasillo y abrió la puerta del extremo. Allí había una mujer sentada ante un escritorio, de espaldas a la puerta, mirando por la ventana.

—Amelia —dijo Jack—, por fin tenemos una aspirante. Para el puesto de recepcionista.

La mujer se volvió despacio. De inmediato Meredith cayó en la cuenta de que estaba sentada en una silla de ruedas. Contuvo la respiración y le sostuvo la mirada. Su belleza era asombrosa: la cabellera oscura, partida al medio, caía tumultuosamente alrededor de un rostro pálido, con forma de corazón. Los estupendos pómulos, el hoyuelo del mentón y la boca sensual no eran nada comparados con los vívidos ojos verdes, bajo el arco negro y perfecto de las cejas. "Es la mujer de *Lo que el viento se llevó*", se dijo Meredith.

—La noto extraña —dijo Amelia—. ¿Se siente bien?

Meredith cayó en la cuenta de que estaba mirándola fijamente.

—¡Oh, sí, estoy bien! Perdón. Discúlpeme por mirarla así. Qué mala educación la mía. —Las palabras surgieron a los tumbos y prosiguió sin pensar. —Es que la vi tan hermosa... se parece a Vivien Leigh en *Lo que el viento se llevó*. Supongo que todo el mundo le dice lo mismo.

—Todo el mundo no. Y gracias por ese cumplido

encantador —respondió Amelia, con una sonrisa, mientras intercambiaba con Jack una mirada divertida.

Él se hizo cargo, carraspeando.

—Querida Amelia, quiero presentarte a la señorita Meredith Stratton. Señorita Stratton, mi esposa, la señora Amelia Silver.

Meredith cruzó el suelo de madera encerada para tomar la fina mano de la mujer; luego dio un paso atrás, aún conmovida por belleza tan perfecta.

—Por favor, siéntese, señorita Stratton —murmuró Amelia—. Póngase cómoda.

—Gracias. —La muchacha se instaló en una silla, estirándose la falda de algodón. —Me voy a sentir más cómoda si me llama Meredith, señora Silver. No estoy acostumbrada a que me digan "señorita".

Otra leve sonrisa aleteó por un instante en la bonita boca de Amelia.

—Me encantaría tutearte.

Jack, que se había sentado en el antepecho de la ventana, a la derecha de su esposa, comentó:

—Meredith es de New Preston. Es decir, desde allí ha venido, en bicicleta. —Y continuó, dirigiéndose a ella: —Pero eres originaria de Australia, ¿no?

Ella asintió.

—De Sydney, pero ¿cómo se dio cuenta? Oh, por esta horrible manera de hablar, ¿no?

—No es horrible —apuntó Amelia—, pero tienes un leve acento, claramente australiano. Y dime, ¿cuándo viniste a Connecticut?

—El año pasado. En julio hará un año que vine aquí, con los Paulson. Son norteamericanos y los conocí cuando vivían en Sydney. El señor Paulson trabaja para una agencia de publicidad. Allá me emplearon como niñera.

—Y ahora quieres dejarlos. ¿Puedo preguntar por qué? —inquirió Jack.

—Quiero cambiar de trabajo, señor Silver. Pero es algo más complicado. El señor Paulson ha sido nuevamente trasladado, esta vez a Sudáfrica. La familia está a punto de mudarse a Johannesburgo. Me pidieron que los acompañara, pero yo quiero vivir en Norteamérica. Me gustaría quedarme para siempre en Connecticut. Es el lugar más bello de cuanto conozco.

—Pero ¿qué dirá tu familia? Tus padres, allá en Australia, ¿qué opinan de esto? —Amelia parecía algo intrigada. —Sin duda querrán que vuelvas a tu casa.

—Oh, no... Es decir... Bueno, la verdad es que... Ellos murieron. Murieron, sí. En un... accidente con el coche. Cuando yo tenía diez años. —Meredith asintió como para sí misma. —Cuando yo tenía diez años —repitió.

—Oh, pobrecita —exclamó Amelia. Su rostro volvió a cambiar, llenándose de simpatía. —Qué dolor tan grande para ti. ¿Y no tienes otros parientes allá?

—No, no tengo a nadie.

—Pero qué horrible, estar tan sola en el mundo. —Amelia hizo girar la silla para mirar a Jack. —¿No te parece triste, querido?

—Sí, en efecto.

—¿Qué edad tienes? —preguntó, dedicando a Meredith una sonrisa cálida y alentadora.

—Dieciocho. Los cumplí a principios de mayo.

Jack preguntó:

—¿Alguna vez trabajaste como recepcionista? ¿Tienes experiencia en hoteles?

—No, pero sé tratar con la gente. Al menos eso es lo que dice la señora Paulson. Y hace dos años que la ayudo con los papeles: la libreta de cheques, las cuentas domésticas y cosas así. Hasta me ha enseñado algo de teneduría de libros. Dice que tengo pasta para esto, señor Silver. Puede llamarla por teléfono cuando quiera. También dijo que me daría una carta de referencia. La traeré esta misma noche, si ustedes quieren.

—No es necesario —dijo Amelia, enérgicamente. Luego se dirigió a Jack. —Creo que deberías llamar ahora mismo a la señora Paulson. No te molesta que hablemos con ella estando tú aquí, ¿verdad, Meredith?

—Oh, no. Está en casa, preparando el equipaje. Supongo que espera esa llamada.

—¿Cuál es el número, Meredith? —preguntó Jack, mientras se acercaba al escritorio para tomar el teléfono.

Un momento después estaba conversando con la señora Paulson; mejor dicho, escuchaba, casi sin poder intercalar palabra.

Amelia esperaba en silencio.

Meredith cruzó con fuerza las manos en el regazo, súbitamente nerviosa. Sabía que la señora Paulson diría cosas buenas de ella, pero aun así no podía evitar el preocuparse un poco. Conseguir ese empleo era importante.

Al cortar por fin, jack se volvió hacia Meredith.

—No tiene más que elogios para ti. Dice que eres una muchacha inteligente, responsable, honrada y trabajadora; me ha dicho que cuidaste muy bien a sus hijos.

Meredith se relajó, radiante. Luego clavó en Amelia una mirada llena de expectativa.

—Me alegra saber que la señora Paulson tiene tan buena opinión de ti —comentó ella.

—Sí. Y seguro que vendrá a verlos —apuntó la muchacha—. Querrá conocerlos.

Jack volvió a sentarse en el antepecho de la ventana y dijo a su esposa:

—Para continuar: la señora Paulson lamenta mucho perder a Meredith, pero comprende sus motivos para quedarse en Connecticut. Además, opina que tiene condiciones para cosas mejores. —Luego comentó, dirigiéndose a la chica: —Dice que sus hijos te adoran.

—Y yo a ellos —replicó Meredith—. Los voy a extrañar, señor Silver, pero no quiero ir a Sudáfrica.

—No puedo criticarte por querer vivir en Connecticut —murmuró Amelia—. Las colinas de Litchfield, en especial, son encantadoras. Bueno, ¿cuándo puedes comenzar?

—La semana que viene. —Meredith irguió la espalda, mirando alternativamente a marido y mujer. —Entonces ¿estoy aceptada?

—Sí —dijo Amelia—. Las referencias de la señora Paulson son estupendas y con eso nos basta. No creo que encontremos a nadie mejor que tú, Meredith. ¿Verdad, Jack?

—Sí, estoy de acuerdo. Pero hay un pequeño problema, recuerda.

—¿Cuál, querido?

—¿Dónde se alojará?

Meredith, sorprendida al oír eso, los miró boquiabierta.

—¡Aquí, en la posada! —exclamó—. El aviso decía: "Alojamiento y comida, en caso necesario". De lo contrario no me habría presentado. Eso fue lo que le gustó a la señora Paulson... que viviera en la posada, en vez de quedarme sola.

—Tenemos un cuarto, sí, pero está en el desván —explicó Jack—. Y no es muy bonito. La asistente ocupa el único dormitorio de servicio decente. A decir verdad, estamos un poco escasos de alojamiento para el personal.

—No me molesta dormir en el desván —aseguró Meredith, temiendo que el empleo se le escurriera entre los dedos—. De veras.

—Esperábamos encontrar a una recepcionista que viviera en las cercanías y pudiera trasladarse cada día. —Amelia sonrió. —Pero hemos publicado el aviso por varias semanas sin que se presentara nadie. Hasta que llegaste tú, por supuesto. —Echó a su esposo una mirada larga e inquisitiva. —Tal vez podamos hacer del desván un sitio más presentable, si lo pintamos y empapelamos. Podríamos poner algunos muebles bonitos y acicalarlo un poco. Y no olvidemos que es bastante amplio.

—No sé... —comenzó Jack. Pero se interrumpió al notar la expresión alicaída de la muchacha. Entonces se levantó de un brinco, súbitamente decidido. —Voy a mostrarte la habitación —dijo. Y explicó a su esposa: —Que sea ella quien decida.

—Tienes razón. Ve con Jack, Meredith. Te llevará al último piso.

Pocos minutos después, Meredith y Jack estaban de pie bajo las vigas del tejado. Para ella fue un alivio ver que había dos ventanas y que el espacio era bastante amplio, tal como Amelia había dicho. Después de recorrerlo, exclamó:

—¡Pero si me encanta! Quedará muy lindo; yo me encargaré. No se preocupe, que voy a estar muy a gusto aquí arriba.

Jack se limitó a asentir. Bajaron juntos las escaleras.

—Bueno, ¿qué opinas, querida? —preguntó Amelia al verlos entrar, enarcando una ceja.

—Es original, señora Silver. Me parece perfecto. Yo me ocuparé de hacerlo confortable. ¿Quiere que comience la semana próxima?

—Sí, si puedes. Tengo muchas ganas de que vengas, Meredith.

—También yo. Y traeré la carta de referencias.

—Como quieras. Por ahora me despido —dijo Amelia, haciendo rodar la silla hacia el escritorio—. Tengo que terminar con estos tediosos papeles que me han caído encima.

Jack y Meredith salieron al porche delantero; él la acompañó abajo.

—Por el momento no hay nadie en la hostería —reconoció—, pero en una semana más habrá movimiento. ¿Qué día crees que podrás venir?

—El lunes. Faltan sólo cuatro días. ¿Le conviene, señor Silver?

—Por cierto que sí. Vas a sacarme un gran peso de encima. Así podré encargarme de algunas tareas que ahora hace Pete O'Brien, el administrador de la finca, que está sobrecargado de trabajo. También Amelia se sentirá más tranquila cuando te instales aquí. A veces se cansa tanto... Pese a todos mis intentos, no he podido encontrar a nadie para que la ayude.

Meredith hizo un gesto de comprensión, llena de simpatía por los Silver.

—Debe de ser difícil. Pero no se preocupe, señor Silver. Yo la ayudaré con esos papeles. De veras, será un gusto hacerlo en mi tiempo libre. —Le echó una mirada vacilante. Luego preguntó con suavidad: —¿Qué es lo que le pasó? ¿Por qué está en silla de ruedas?

—Hace once años sufrió un accidente montando a caballo y se lesionó la columna. Desde entonces está paralítica desde la cintura hacia abajo.

—Qué horrible. Lo siento mucho. Es tan hermosa...

—Lo es, sí, tanto por dentro como por fuera. Es una gran persona, Meredith. No conozco otra mejor. Tan valerosa, tan paciente...

Hubo un breve silencio. Luego Meredith dijo:

—Gracias por darme el empleo. No le voy a fallar. Trabajaré mucho.

—No lo dudo.

Se acercó a la bicicleta, pero de pronto giró en redondo para contemplar el lago. Se lo distinguía entre los árboles, centelleando a la luz del sol, ya bajo.

—¿Hay mucha vida silvestre en el lago? —preguntó al fin, con voz extrañamente melancólica.

—Todo el año, de lo cual me alegro. Ahora mismo debe de haber allí bandadas enteras de aves. Patos. Gansos del Canadá, sobre todo. ¿Quieres que bajemos a echar un vistazo?

Meredith asintió con la cabeza y echó a andar junto a él, llevando la bicicleta en el medio.

—¿Te gusta montar en bicicleta? —preguntó él.

—A veces. ¿Por qué?

—Tengo una y a menudo la uso para recorrer la finca. No puedo decir que haya cubierto las sesenta hectáreas, pero he tratado de ver la mayor parte. Y hay muchas cosas interesantes para ver.

—Es una propiedad muy grande, ¿no?

—Sí, pero apostaría a que en Australia las hay más grandes.

Ella se echó a reír.

—Lo único que conozco es Sydney.

Él se encogió de hombros.

—Pero es un país grande, ¿no?

—Sí. ¿Y esta finca es toda suya, señor Silver?

—En efecto. La compró Adam Silver, el padre de mi tatarabuelo. Fue en 1832, como te dije. Él y su esposa Angharad construyeron la hostería y la casa vecina, donde vivimos Amelia y yo, y también varios edificios más pequeños. Desde entonces la familia administra la hostería.

—Una cadena ininterrumpida —dijo ella, con la voz llena de respeto.

Jack se limitó a asentir.

Los dos siguieron caminando por el ancho sendero, que cortaba verdes prados y jardines ya a punto de florecer; se interrumpía a la orilla del lago.

—Sé que lo llaman Silver, plata, por el apellido de su familia. Pero es plateado de verdad. Y tan sereno...—Se apoyó contra el manubrio de la bicicleta, con una mano a modo de visera. —Siempre me ha gustado estar cerca del agua, desde que tengo memoria. No sé por qué, pero me hace sentir... —Hizo una pausa, incapaz de terminar la frase, pues le faltaba la palabra exacta para describir sus emociones.

—¿Cómo te hace sentir, Meredith?

—No estoy segura. Nunca he podido definir esa sensación.

—¿Feliz? ¿Contenta? ¿Segura? Ha de ser una sensación positiva; de lo contrario no te gustaría estar cerca del agua.

—Es cierto. Supongo que me hace sentir... bueno, todo eso que usted mencionó. Pero a veces también me entristezco, como si hubiera perdido algo... algo precioso. El agua hace que lo recuerde.

Él no dijo nada; se limitó a mirarla con atención antes de concentrarse en el lago. De pronto señaló algo, exclamando con entusiasmo:

—¡Oh, mira! ¡Allí! Es la garza azul que viene todas las primaveras. Se va después de algunos días y rara vez regresa al lago hasta el año siguiente. Pero es maravillosa; estoy seguro de que es la misma.

—¡Qué extraño! No me explico por qué hace eso. Si yo fuera ave no querría abandonar jamás Silver Lake. Me quedaría aquí para siempre. Es tan hermoso...

Jack Silver se volvió a observarla, conmovido por esas suaves palabras. Meredith lo miró a los ojos. Se sorprendió ante la intensidad que había en ellos: una expresión que no llegó a sondear. Y descubrió que no podía apartar la vista.

Fue Jack quien quebró el hechizo, diciendo con brusquedad:

—Me alegro de que vengas a trabajar en la hostería, Meredith. Tengo la sensación de que todo marchará bien. Le has caído bien a Amelia. Y a mí también. Espero sinceramente que sea mutuo.

—Así es, señor Silver. Yo también me alegro de venir.

Volvieron en silencio a la posada, ambos perdidos en sus propios pensamientos por algunos segundos.

—Hasta el lunes, señor Silver —saludó ella, montando en su bicicleta.

Cuando ya se alejaba, él le gritó:

—¡Espero que me tutees!

—De acuerdo —respondió ella, volviéndose a medias para agitar la mano. Y desapareció por el largo camino de entrada.

Él la siguió con la mirada hasta perderla de vista. Lo sorprendió descubrir que le dolía esa partida. Había algo muy atractivo en esa muchacha; era fresca, dulce y muy hermosa, aunque ella misma no supiera cuánto. Tampoco entendía el impacto que causaba con esas piernas largas, el pelo castaño, aclarado por el sol, y los ojos de un verde ahumado. Jack descubrió que ya la echaba de menos, aunque la había tratado apenas por un par de horas. Eso lo sorprendió más aún.

Ante el insistente timbre del teléfono, Meredith despertó con un respingo. Al levantarse de un salto para atender cayó en la cuenta de que se había quedado dormida en el sofá.

—¿Hola?

—Buenos días, señora Stratton. Aquí el servicio de despertador. Son las cinco —informó el operador del hotel.

—Gracias.

Dejando el auricular en su horquilla, encendió una lámpara para mirar su reloj. Eran las cinco, en verdad; la sorprendió haber pasado toda la noche en el sofá sin despertar una sola vez. Su cansancio debía de haber sido mayúsculo. Por otra parte, ese sofá tan grande y mullido era tan confortable como la cama.

"Patsy llegará pronto", pensó, y se dirigió apresuradamente al dormitorio para quitarse la bata. Luego se encaminó hacia la ducha. Era un alivio haber preparado el equipaje la noche anterior.

Una hora después estaba de pie en el vestíbulo del Claridge, esperando a su socia para viajar al norte de Inglaterra.

8

En una mañana oscura, de cielo encapotado, Patsy y Meredith partieron en coche. Amenazaba lluvia. Cuando Patsy salió a la autopista, apuntando el Aston-Martin en dirección al norte, ya estaba diluviando.

Meredith se reclinó contra el asiento del auto, sin prestar mucha atención a la radio; pensaba en los negocios. Cerró los ojos por un momento y se adormeció casi contra su voluntad, relajada por el calor del auto y por la música de la radio.

—Duerme, si quieres —dijo Patsy, echándole un rápido vistazo antes de volver a concentrarse en la ruta—. No me molesta. Si estás cansada no hace falta que conversemos.

—Estoy bien —replicó Meredith, abriendo los ojos e irguiendo la espalda—. Descansé bien, aunque pasé la noche en el sofá.

—¿En el sofá? ¿Por qué?

—A la una de la mañana todavía estaba despierta. Supongo que tenía demasiadas cosas en la cabeza. Entonces decidí levantarme. Y un rato después debo de haberme quedado dormida.

—Supongo que no te habrás pasado la noche torturándote por Reed Jamison. —Patsy le echó una mirada cargada de preocupación.

—No, por supuesto.

—Mejor así. Porque el tipo no lo merece.

—Estoy de acuerdo. Y es un alivio haberle dicho lo que pensaba, Patsy. —Meredith soltó una risa seca. —Probablemente ha sido la única vez que me prestó atención.

—¿Qué quieres decir?

—Siempre tuve la sensación de que, en realidad, Reed no escuchaba lo que yo le decía. Como si estuviera siempre muy ocupado formulando su respuesta, pensando en lo que iba a decir en vez de atender al significado de mis palabras.

—Es una enfermedad que padece mucha gente —murmuró Patsy—. Una especie de egocentrismo, supongo. Aunque en verdad, ya nadie parece escuchar a nadie. Salvo tú. No conozco a muchos que sepan escuchar como tú.

—Lo aprendí de Amelia. Ella me enseñó lo importante que es escuchar. Siempre decía que quien habla todo el tiempo no aprende nada. ¡Cuánta razón tenía! Pero casi siempre tenía razón. De ella aprendí muchas cosas. —Hubo una pequeña pausa. —Fue la persona más notable que conocí en mi vida.

—Lamento no haberla conocido —comentó Patsy—. Y es curioso que la menciones ahora, porque anoche estuve pensando en ella. Me extrañaba de la influencia que ha tenido en nuestra vida. En la mía, indirectamente, por supuesto. Piénsalo: si John Raphaelson no hubiera sido abogado de Amelia, tú no habrías conocido a su hermano, que era el mejor amigo de mi padre, y no me habrías conocido a mí, ¿verdad?

Meredith sonrió.

—Cierto. Yo también lamento que no conocieras a Amelia. Era una persona tan especial. —Soltó un leve suspiro. —Si todavía viviera, este año cumpliría sesenta y dos años, apenas.

—¿Y Jack? ¿Qué edad habría tenido?

—Tenía cuatro años menos que ella, así que cumpliría cincuenta y ocho a fines de este mes.

—Qué triste para ti, que hayan muerto tan jóvenes.

—Sí. Cuando Jack se nos fue, Amelia luchó por continuar, pero ya no había luz para ella. Al fin se entregó. Siempre he pensado que murió de tristeza, si acaso es posible.

—Oh, yo creo que sí, Meredith. Estoy convencida de que así fue con mi madre. Se fue tan pronto, después de que perdimos a papá... Siempre he pensado que, al no tenerlo a él, perdió todo interés por vivir. Más aún: después de su muerte, mi tía me contó que se la pasaba diciendo: "Quiero irme con Winston". Casi no comía. Era como si hubiera perdido el apetito... por todo, incluso por la vida. Tengo el convencimiento de que había decidido morir.

—Con Amelia sucedió algo parecido, aunque ella vivió un año tras la muerte de Jack. En realidad, es lógico, si te pones a pensarlo. Cuando dos personas han pasado tanto tiempo en mutua dependencia, es traumático que una quede repentinamente sola.

—La soledad es un estado insoportable.

—Eso dijo Amelia, en cierta ocasión. De hecho, añadió que la soledad era otro tipo de muerte. Nos amaba, a mí y a Cat, pero Jack era la luz de sus ojos. Sin él, pareció perder su sentido, su razón de ser. ¿Nunca te dije que se conocían desde la infancia?

—No, no lo sabía. ¿Se criaron juntos?

—En parte. Los padres de ella tenían una casa de veraneo en Cornwall Bridge, no lejos de Silver Lake, y eran amigos de los Silver. Cuando Jack y Amelia se conocieron, ella tenía catorce años y él, diez. Se hicieron muy amigos. Los dos eran hijos únicos, ¿sabes?, y sus padres también eran hijos únicos, así que no tenían hermanos ni primos. Jack siempre decía: "Cuando sea grande me casaré contigo". Ella se reía, replicando que no podía casarse con un hombre más joven. Pero se casaron cuando él llegó a la mayoría de edad. Poco después Amelia sufrió el accidente. ¡Qué distinta habría sido la vida para ellos si el caballo no la hubiera arrojado! Pero era su destino. Al menos, es lo que ella solía decirme.

—¿Qué quería decir?

—Exactamente eso, Patsy. Decía que nadie puede cambiar el destino ni evitarlo. *Che serà serà*, murmuraba constantemente. Lo que deba ser, será. En cierto modo, ése era su lema y también su filosofía. Según ella, fue el destino lo que me llevó a Silver Lake aquel día de mayo de 1969; yo no hacía más que cumplir con mi destino, igual que ella y que Jack. "Yo estaba destinada a vivir en esta silla, Meri; no sé por qué, pero así es." Me lo decía una y otra vez. —Meredith hizo una pausa, mirando a Patsy por el rabillo del ojo. —Y como ya te he dicho tantas veces, ellos me cambiaron la vida, así como yo cambié la de ellos, de muchas maneras diferentes. Para mejor... Fue mejor para los tres. Ellos me dieron amor, comprensión, el primer hogar que tuve en mi vida. Y yo les di algo que siempre habían deseado, que necesitaban.

—Para ellos eras como una hermana, la hermanita que ninguno de los dos había tenido.

—Sí, en cierto modo sí. Pero me refería a Cat. Mi bebé era tan hija de ellos como mía. ¡Y cómo la amaban!

—Lo sé. Imagina lo felices que serían ahora, si pudieran verla. Se ha convertido en una muchacha estupenda. ¿Te parece que va a comprometerse con Keith?

—Sin duda, y muy pronto. Catherine tiene mucha intuición. No me habría dicho nada si no pensara que Keith está a punto de proponerle casamiento.

—Espero que me inviten a la boda.

—No seas tonta. Por supuesto que sí. Cat te adora y nunca olvida lo bien que la trataste ese año que pasó contigo en Londres. Yo tampoco, a decir verdad. Gracias a ti pude dormir tranquila todas las noches, sin pensar que mi hija estaba sola en un país extranjero.

—Fue un placer cuidar de ella. ¿Harán la fiesta en Silver Lake?

—Oh, sí, con seguridad. Cat quiere a esa casa tanto como yo y no querrá hacerla en otro sitio. Además, es el lugar perfecto para una boda. Blanche está entusiasmada; ya se ha puesto a planearlo todo mentalmente. La otra noche hablaba de entoldados y del menú. A estas horas debe de tenerlo todo planificado, desde las flores hasta los lugares para estacionar. Bueno, vendrás a la fiesta y te quedarás en la casa conmigo.

—Qué encanto, gracias. Oh, Meredith, estar enamorada es maravilloso. Me alegro mucho por Cat, que ha encontrado al hombre de su vida. Ojalá yo pudiera decir lo mismo.

—Cuando lo buscas no hay ninguno disponible. —Meredith reclinó la cabeza contra el respaldo del asiento, cerrando los ojos. —Además, un hombre no siempre es la solución, ¿sabes?

—¡Gran verdad! —Patsy maldijo por lo bajo. La fuerte lluvia azotaba el parabrisas, haciendo que todo pareciera borroso, a pesar de los limpiadores. —Espero que este tiempo horrible mejore pronto. Es desastroso.

—¿Quieres que conduzca yo?

—No, no, está bien. Conozco esta ruta como la palma de mi mano. Recuerda que lleva al norte de Inglaterra.

—Tu zona favorita.

—Entre otras, sí —reconoció Patsy, sonriendo para sus adentros.

Meredith se quedó callada, invadida por sus pensamientos.

Patsy se concentró en el volante. Soplaba un viento fuerte y afuera debía de hacer un frío penetrante; la ruta estaba ahora resbaladiza como el hielo, gracias a la lluvia glacial y la aguanieve.

Mientras conducía, con la mirada fija hacia adelante, pensaba en Meredith y en el modo en que su empleo en Silver Lake le había transformado la vida de la noche a la mañana. ¡Qué caso extraordinario! Meredith no había tardado en tornarse indispensable para Amelia, desarrollando una relación simbiótica con ella. También Jack empezó a apoyarse en ella, y le enseñó cuanto sabía sobre la administración del hotel. Sí, Meredith le había contado muchas cosas sobre sus años con los Silver, pero poco más sobre sí misma. Nunca hablaba de su vida en Australia. En realidad, todo lo que precedía a los años pasados en Silver Lake parecía rodeado de misterio, como si en su vida hubiera otra parte, una parte secreta que nadie debía conocer. Patsy no acostumbraba curiosear ni hacer preguntas; no era su modo de ser y respetaba la intimidad de su amiga.

Meredith se volvió hacia ella para comentar:

—Esto va a parecerte extraño, pero tengo la sensación de que prefieres la posada de Ripon. De las dos, Skell Garth es tu favorita, ¿no?

Patsy exclamó, sorprendida:

—¿Por qué lo dices?

—Estoy segura. Lo deduzco de lo poco que has dicho. Además, te gusta mucho Yorkshire. Te criaste allí.

—Como te he dicho desde un principio, quiero que juzgues tú misma, Meredith. De veras. No quiero influir sobre ti, prepararte de antemano.

—¿Qué tiene de malo la hostería del Distrito de los Lagos?

—Nada. Ya viste las fotos.

—Sí, y me parece estupenda, con esos jardines y ese panorama. Dices que es lujosa y que está bien decorada. Sin embargo en tu mente hay un "pero". Te conozco.

—Demasiados almohadones —murmuró Patsy.

Meredith se echó a reír.

—No puedes olvidarte de eso, ¿eh? —Seis meses antes ella había hecho ese mismo comentario sobre otra hostería que tenían en vista. —O sea: te parece sobrecargada de decoración.

—En cierto modo. Mucho lujo y comodidad; allí te sientes terriblemente mimada. Pero a pesar de tantas telas y alfombras bonitas, de tantas antigüedades finas, Heronside no tiene nada único o diferente. Allí no hay nada fuera de lugar. Tú siempre dices que es importante ver en un cuarto algo torcido, un poco dislocado, porque eso da mayor interés al lugar.

—Lo raro agrega personalidad. Eso es algo que siempre hemos tenido en cuenta. —Meredith miró a su socia y amiga, asintiendo para sus adentros. —El instinto me dice que Heronside no te gusta.

—Tampoco me disgusta —adujo Patsy.

—Oye, ¿vale la pena que vayamos? ¿Por qué no ir directamente a Ripon?

—Porque es una hostería estupenda y quiero que la veas tú misma. No hace falta gastar mucho dinero en ella, puesto que la remodelaron hace dos años, y el panorama es magnífico. Además no estoy segura de que mi opinión sea acertada. De veras, Meredith: quiero que seas tú quien decida.

—De acuerdo. Pero rara vez te equivocas, Patsy. Tenemos gustos muy similares.

9

La mañana era límpida y fría, del tipo seco y luminoso que a Meredith le gustaba. El cielo, azul deslumbrante, sin una nube; el sol ofrecía poco calor, pero agregaba luminosidad al día.

En esa mañana de martes, justo cuando el reloj marcaba las nueve, Meredith caminaba deprisa por Studley Park, de botas y abrigo de vellón. La majestuosa avenida de tilos conducía a la iglesia de Studley, apenas visible en lo alto de la colina. Por las indicaciones de la señora Miller sabía que faltaban pocos minutos para llegar a la abadía.

La tarde anterior, al llegar a Ripon, Patsy y ella habían ido directamente a Skell Garth. La casa, situada entre las diminutas aldeas de Studley Royal y Aldfield, se levantaba en la ribera del riachuelo Skell, con la abadía de Fountains en la orilla opuesta.

Después de presentarla a los Miller, Patsy explicó que deseaban pasar la noche en Skell Garth. Por ser día de semana en pleno invierno, eso no ofrecía ningún problema: había habitaciones libres de sobra y Claudia Miller les dio a escoger.

—Creo que nos gustarían esos dos cuartos contiguos del último piso —dijo Patsy, mientras seguían a los propietarios por la escalera principal—. Los que dan a Fountains.

En cuanto entraron en la primera de las habitaciones, arrastró a su amiga hacia la ventana.

—¡Dime si esa vista no es espectacular! —exclamó—. ¡Mira, la abadía de Fountains, una de las ruinas más bellas de toda Inglaterra!

Meredith contempló los prados y jardines en pendiente de Skell Garth, ahora cubiertos por la nieve, y fijó los ojos en la abadía. Se elevaba entre blancos terrenos relucientes, enorme, oscura, monolítica, recortada contra el cielo verdoso, como un antiguo tributo a Dios. Y quedó sin aliento, impresionada por su belleza. Era magnífica, sin duda. "Ésa es la única palabra para describirla", pensó.

—Y es una de las abadías mejor conservadas del país —le había señalado Bill Miller—. Constantemente hay albañiles trabajando en ella, para evitar que se derrumbe. Es un tesoro nacional, ¿sabe?

En ese momento, por motivos que no podía desentrañar, Meredith había decidido ir a echar un vistazo desde cerca; sentía una extraña atracción por esas ruinas.

Después de tomar el té con los Miller, dedicaron todo el resto de la tarde a una recorrida completa de la casa Skell Garth, que databa del siglo XIX. Ya había oscurecido cuando acabaron de discutir con los propietarios los pros y los contras de la hostería. "Iré mañana, antes de partir", resolvió Meredith, decidida a visitar las ruinas, aunque no entendía esa determinación.

Esa mañana, mientras ella terminaba su desayuno, Claudia Miller había entrado en el comedor para ver si Meredith necesitaba algo más. Ella aprovechó el momento para preguntarle cómo se llegaba a la abadía desde la posada.

—Tendrá que ir a pie; es lo mejor. Póngase botas altas de goma, si ha traído un par. Por el camino a Studley todavía hay un poco de nieve.

Luego Claudia le había dado indicaciones explícitas.

"Y ya casi estoy", se dijo Meredith, al llegar finalmente a lo alto de la colina, dejando atrás el camino bordeado de tilos. Echó un vistazo a la iglesia de Studley, tan pintoresca en la nieve, y al obelisco cercano; luego dirigió la mirada hacia el lago, que centelleaba al sol allá abajo. El río Skell nacía en el lago; aguas arriba, a poca distancia, estaba la abadía.

Meredith permaneció por un momento en la cima, protegiendo los ojos del sol con una mano; Fountains parecía más imponente que la tarde anterior. "Pero es lógico", se dijo. Después de todo, ahora estaba mucho más cerca y la veía directamente, no desde lejos y a través de un vidrio.

De pronto se estremeció, como si la hubiera atravesado una ráfaga helada. Pero esa mañana no había viento. "Alguien ha caminado sobre mi tumba", murmuró por lo bajo. Luego se preguntó de dónde había sacado esa frase tan extraña. Era la primera vez en su vida que la usaba.

La invadió una sensación extraña. Permaneció muy quieta, con todos los sentidos alerta. De inmediato supo qué era: una curiosa idea de haber estado antes allí, de pie en ese mismo lugar, en esa misma colina, contemplando las ruinas medievales. Era como si el paisaje de allá abajo le fuera familiar y conocido. Se estremeció otra vez. *Déjà vu*, lo llamaban los franceses: algo ya visto. Pero ella no podía haberlo visto antes; era la primera vez que venía a Yorkshire.

Sin embargo, ese antiguo lugar removía algo en ella. Las ruinas la llamaban, parecían atraerla con urgencia. Inició el descenso, haciendo crujir la nieve helada bajo las botas; iba casi corriendo, resbalando en su prisa por llegar. Varias veces estuvo a punto de caer pero logró recuperar el equilibrio y continuar la carrera.

Por fin, algo sofocada, se encontró en el centro del ruinoso monasterio cisterciense.

No tenía techo; estaba abierto al vasto arco del cielo que flotaba allá arriba, como un gran dosel azul; las ventanas sin vidrios formaban arcos gigantescos contra ese cielo vacío. Meredith giró despacio, con la cabeza hacia atrás para contemplar las altísimas paredes de piedra, melladas y rotas arriba... las inmensas columnas, sólo parcialmente intactas... las losas resquebrajadas, cubiertas ahora de nieve. La envolvió una sensación de atemporalidad.

Al mirar en derredor, absorbiéndolo todo, se le encogió el corazón y experimentó una extraña sensación de pérdida. Fue tan aguda, tan potente y abrumadora que los ojos se le llenaron de lágrimas. La garganta se le cerró en una oleada tal de emoción que se sintió aún más sorprendida.

"Aquí me quitaron algo... algo que tenía un valor inmenso para mí. Estuve aquí antes. Conozco este lugar... De algún modo forma parte de mí. ¿Qué fue lo que perdí en este sitio? Oh, Dios, ¿qué fue? Algo más precioso que la vida. Una parte de mi alma, una parte de mi corazón. ¿Por qué me siento así? ¿Qué significan para mí estas ruinas?" Pero no tenía respuestas.

Meredith permaneció muy quieta en medio de la abadía en ruinas. Por la cara le corrían lágrimas inesperadas, calientes contra las mejillas frías. Cerró los ojos, sin comprender lo que le estaba pasando; era como si se le rompiera el corazón. Había perdido algo. O alguien. Alguien a quien amaba. ¿Era eso? No estaba segura. Lo único que sabía en ese momento era que experimentaba una pérdida inmensa.

Abrió los ojos y, avanzando con lentitud, se acercó a uno de los muros del monasterio para apoyar la cabeza contra sus piedras gastadas por el tiempo. Allí había una quietud, un silencio infinito que la calmó.

Muy lejos, a la distancia, se oyó el reclamo de un pájaro solitario que volaba alto. Hubo una súbita ráfaga entre las ruinas, un viento gemebundo, sibilante; luego todo volvió a quedar quieto y en silencio.

Echó a andar hacia los claustros, moviéndose como una sonámbula. Conocía el camino. Una vez adentro se vio protegida del viento. Allí no había ruido alguno. Sólo el silencio perfecto de esos grandes claustros abovedados.

"Dolor —pensó—. ¿Por qué siento dolor, sufrimiento, desesperación? ¿Qué tiene este lugar que me hace sentir así? ¿Qué significa Fountains para mí?" No lo sabía. Era un misterio.

Cuando Meredith volvió a Skell Garth, una hora después, Patsy la estaba esperando en la sala.

—¡Por Dios, pareces muerta de frío! —exclamó al verla entrar—. Ven a sentarte junto al fuego y toma algo caliente antes de ir al aeropuerto.

—Estoy bien. —Meredith se quitó el abrigo y fue a calentarse las manos frente al hogar.

—Cuando Claudia me dijo que habías ido a la abadía de Fountains no lo pude creer. ¡Con este tiempo! Si hubieras esperado a que bajara, yo te habría llevado en el auto.

—Me gusta caminar. —Meredith se sentó en una silla, con la cabeza vuelta hacia las llamas, que ardían con fiereza.

—Voy a pedir una tetera llena —resolvió Patsy,

levantándose de un salto—. ¿Quieres algo para comer? ¿Tortillas? Sé que te gustan tanto como a mí.

—Ahora no, gracias. Un poco de té, eso sí.

Patsy, al regresar, echó a su amiga una mirada curiosa.

—Aunque lo que voy a decir suene extraño, estás muy pálida, como si hubieras visto a un fantasma. —Luego agregó, con una gran sonrisa: —¿Algún monje cisterciense caminó contigo por las ruinas?

Meredith no respondió con la habitual carcajada, sino que la miró con aire raro, muy callada. Patsy la miró con más atención.

—¿Te ocurre algo, Meredith? —insistió.

En un primer momento hubo silencio. Luego Meredith dijo:

—No, nada. Pero lo cierto es que tuve una experiencia extraña en Fountains.

—¿Qué te pasó?

—Las ruinas me atraían. Era como si un imán me impulsara hacia adelante. Fui casi corriendo desde la iglesia de Studley. Un par de veces estuve a punto de caer. La verdad es que no veía la hora de llegar, Patsy, de estar en medio de esas ruinas. Y cuando me detuve en el centro tuve la sensación de que conocía muy bien ese lugar. Me resultaba curiosamente familiar. Entonces me sucedió algo... Tuve una sensación de inmensa pérdida. Fue tan sobrecogedora que me estremecí. No puedo explicártelo, de veras. —Meredith miró fijamente a su amiga. —Vas a pensar que estoy loca, pero la abadía de Fountains significa algo para mí, no hay duda. Algo especial. Sin embargo, no sé decirte por qué. Hasta el otro día no la había oído mencionar, siquiera. Y nunca en mi vida estuve allí.

Por un momento no hubo respuesta. Luego Patsy dijo:

—No estuviste, cierto. Cuanto menos en esta vida. Pero tal vez hayas estado allí en otra. En alguna... vida anterior. ¿Crees en la reencarnación?

—No sé. —Meredith meneó la cabeza. —Decir que no suena tan arrogante... —Se encogió de hombros, desconcertada. —¿Quién sabe nada, en realidad, sobre este extraño mundo en que vivimos?

—Quizá viste alguna película, algún documental sobre Yorkshire en que mostraban la abadía. Tal vez por eso te resulta tan familiar.

—No lo creo. ¿Y cómo explicas esa peculiar sensación de pérdida?

—No puedo —reconoció Patsy.

Una joven camarera entró con la bandeja del té y las dos mujeres callaron. Una vez que estuvieron nuevamente solas, Patsy comentó en voz baja, mirando a su amiga con atención:

—Ahoche estabas muy excitada... por comprar Skell Garth. Espero que tu extraña experiencia de esta mañana no te haya hecho cambiar de idea.

—No, Patsy, muy por el contrario. Es obvio que la abadía de Fountains es importante. Aunque no entiendo por qué, lo veo como un buen presagio. Y la hostería me gusta. Tenías razón. —Dedicó a su socia una cálida sonrisa. —A su modo es una pequeña joya y tiene muchas ventajas sobre Heronside. Allá hay demasiados almohadones, realmente. Skell Garth es encantadora y original, tiene una atmósfera estupenda y está llena de comodidades. Está un poco venida a menos, cierto, pero no hace falta gastar mucho dinero para repararla.

—En mi opinión, Skell Garth sólo necesita una buena decoración. Y tú eres la persona más indicada para eso, Meredith.

Ella asintió, pero no hizo comentarios.

Patsy levantó la taza de té.

—Brindo por nuestra nueva hostería. Por su eterna prosperidad.

—Por Skell Garth.

10

Luc de Montboucher pasó la mirada de Agnes D'Auberville a Meredith, y dijo:

—Deben calcular cuanto menos seis meses para la remodelación. Acortar el tiempo a cuatro meses sólo llevaría al desastre.

Agnes observó:

—Pero esperábamos tener la hostería abierta cuando llegara el verano.

—¡Eso no es posible! —interrumpió él de inmediato—. Hay demasiado que hacer. Y los cambios arquitectónicos que ustedes quieren efectuar son grandes, además de necesarios. Por añadidura, hay que cambiar la instalación eléctrica, las tuberías, las ventanas y los pisos. Habrá que enduir y lijar la mayoría de las paredes. —Levantó las manos en un típico gesto galo, concluyendo: —Para serles franco, Agnes, Meredith, el contratista se verá en apuros para terminar en seis meses. Quiero ponerlas sobre aviso desde ahora. Espero sinceramente que pueda respetar el plazo.

—Pero el Manoir de la Closière no es una casa tan grande —comentó Agnes. Y se volvió hacia Meredith. —Esta semana la has visto ya dos veces. ¿Qué opinas?

Era viernes. Los tres estaban almorzando en el Relais Plaza

de París, después de haber dedicado la mañana a estudiar ideas para la transformación de la casona.

Meredith dejó su tenedor para sostener la penetrante mirada de su socia francesa.

—Tienes razón, Agnes, en cuanto a que la casa no es tan grande. Pero está muy mal conservada, mucho peor de lo que estaba el *château*. Creo que Luc tiene razón. Y dudo mucho que podamos terminar la remodelación en menos tiempo de lo que él sugiere. Más aún: me parece un poco arriesgado calcular sólo seis meses. —Echó un vistazo a Luc, preguntando: —¿No te parece que sería más prudente acordar ocho?

Antes de que él tuviera oportunidad de responder, Agnes exclamó con cierto acaloramiento:

—¡Pero si remodelamos y redecoramos Cormeron en un año! ¡Y es mucho más grande!

—Lo sé, pero la casa solariega de Montfort-L'Amaury no ha sido bien mantenida —señaló Meredith—. Me parece injusto esperar que Luc trabaje con plazos tan poco realistas. Él tiene razón: sólo servirá para terminar con un desastre.

Agnes guardó silencio.

Luc hizo un gesto afirmativo y se dirigió a Meredith con una cálida sonrisa.

—Gracias por entender mis problemas.

Meredith le tenía aprecio. Era un hombre atractivo, con mucho encanto europeo, pero sincero.

—Pero entonces ¿cuándo abriríamos la posada? —preguntó Agnes.

—Creo que será necesario esperar hasta la próxima primavera. No veo otra alternativa. Luc tiene muy en claro lo que deseamos y pronto sabrá qué se puede hacer. Supongo que podría comenzar las obras dentro de un mes. ¿Me equivoco, Luc?

—En absoluto. Les presentaré los planos en cuanto pueda. Si a ustedes les gustan y me dan su aprobación, hacia fines de enero puedo traer al contratista, para que inicie la demolición de algunas paredes interiores. Y si no se presentan imprevistos, podremos terminar en el mes de junio. Trataré de concluir las obras en seis meses, no en ocho, como ustedes sugieren. Gracias por ofrecer ese plazo adicional, pero no creo que haga falta.

—Me alegra saberlo —dijo Meredith. Y agregó, mirando a Agnes: —En cuanto el contratista termine podrán trabajar los otros oficiales: pintores, empapeladores, etcétera, que terminarán fácilmente en cuatro meses. A partir de la semana próxima, tú y yo podremos comenzar a crear combinaciones de colores.

—Bueno, está bien —murmuró su socia—. Si crees que esto va a requerir todo un año, sea. —Se echó a reír, encogiéndose de hombros con súbita despreocupación. —Debo admitir que rara vez te equivocas cuando se trata de remodelar. —Y concluyó, mientras hundía el tenedor en un trozo de pescado: —Mi problema es que soy demasiado ansiosa. No veo la hora de tener la hostería nueva abierta al público y en funcionamiento.

—Eso no tiene nada de malo —respondió Meredith—. Pero si tratamos de hacerlo con demasiada celeridad nos veremos en problemas.

—Me alegro de que todos estemos de acuerdo —comentó Luc—. Permítanme agregar que la casa solariega es encantadora y tiene infinitas posibilidades, sobre todo por los terrenos, que son tan agradables. Creo que ustedes han elegido muy bien.

—Gracias a ti, Agnes —dijo Meredith—. Tú encontraste la casa.

Agnes sorbió un largo trago de vino blanco; se la veía complacida, ya olvidado el nerviosismo por los planes de trabajo.

—Todo arreglado, entonces. Luc hará pronto los planos y, en cuanto estén listos, los enviaremos a Nueva York por correo urgente. Ahora bien... —Hizo una pausa y alargó la mano para apretar el brazo a su amiga. —¿Qué planes tienes para el fin de semana?

—En realidad, nada especial. Pensaba descansar, hacer algunas compras e ir el domingo al Marché aux Puces. Pero no te preocupes por mí, Agnes; ya sé que estás muy ocupada.

La otra hizo una mueca.

—Temo que sí, con Alain y Chloe engripados al mismo tiempo. Menos mal que no me he contagiado.

—Siento mucho que no estén bien. Por mí no te aflijas, que puedo arreglarme muy bien sola por el fin de semana.

Luc levantó la copa para beber un poco de vino; luego se repantigó en la silla y estudió a Meredith por sobre la mesa. Al fin dijo:

—Si no tienes nada especial que hacer, me gustaría invitarte a pasar el fin de semana en mi casa de campo. Parto mañana por la mañana; podríamos viajar juntos y volver a París el lunes a primera hora.

—Qué amable, Luc —murmuró Meredith, vacilando—. Pero no sé... es mucha molestia.

—¡Pero si no es ninguna molestia! Te estoy invitando. Me gustaría que vinieras. No va a ser un fin de semana muy elegante, con un montón de invitados, si eso es lo que te preocupa. Por el contrario: debo advertirte que estaremos solos. Tal vez te aburras, aunque la campiña es hermosa y creo que te agradaría.

—Bueno, gracias... —Meredith se interrumpió, todavía insegura.

Agnes los miró a ambos e intervino rápidamente.

—Luc tiene una casona encantadora. En el Loira. No hay otra igual, Meredith, te encantará. Tienes que ir a pasar el fin de semana.

—Sí, por favor, ven —insistió Luc.

—De acuerdo —decidió por fin Meredith—. Una vez más, muchas gracias por invitarme.

Después del almuerzo, Agnes y Meredith volvieron caminando a las oficinas de Havens, en una calle estrecha que desembocaba en la Rue de Rivoli.

—Me he pasado las últimas semanas recolectando muestras de tela y de papel para paredes —explicó Agnes, una vez que estuvieron instaladas en su atestado dominio particular. Se dejó caer en un sofá y acercó dos grandes bolsas de compras. —Ven, Meredith; siéntate conmigo para que veamos algunas. Me pareció buena idea tener algo a mano, para que pudiéramos ir estudiando la decoración por anticipado.

—Debes de haber recorrido todo París —rió Meredith, hundiendo las manos en una de las bolsas—. En mi vida he visto tantas muestras. —Sacó un cuadrado de tela azul y rojo. —Éste me gusta... parece un Manuel Canovas... Oh, sí, eso es.

—Es muy buen partido, ¿sabes? —comentó Agnes, hurgando también en una bolsa.

—¿Quién? ¿Manuel Canovas? ¿No es casado?

—No, él no. Luc de Montboucher. De él te hablo.

—Ah...

—¿Por qué dices "ah" con ese tono de sorpresa?

—¿Te has metido a casamentera, Agnes?

—En verdad, no. —La francesa se echó a reír. —No se me había cruzado por la cabeza hasta que él te invitó a pasar el fin de semana en su casa. Entonces se me ocurrió. Es atractivo, exitoso y, lo más importante, no tiene mujer.

—¿Divorciado?

—No, no creo que se haya casado nunca. —Agnes frunció el entrecejo y se mordió los labios. —No, espera un momento... Me parece que estaba casado, pero ella murió. No puedo acordarme... Es amigo de Alain. Tendré que verificar eso.

—¿Qué edad le calculas? ¿Unos cuarenta?

—Un poco más, creo. Si mal no recuerdo, tiene unos cuarenta y tres. Se lo preguntaré a Alain esta noche, cuando llegue a casa. Después te llamaré al hotel.

Meredith meneó la cabeza, riendo.

—Apenas me ha invitado a pasar el fin de semana en su casa. Nadie habló de casamiento.

—Lo sé, pero por otra parte, mi querida Meredith, creo que lo has cautivado. En estos últimos días noté que te mira mucho y con gran interés. De cierta manera.

—¿Qué quiere decir "de cierta manera"?

—Con curiosidad. Es muy obvio que quiere conocerte mejor. ¿Te gusta?

—Por supuesto. De lo contrario no habría aceptado su invitación.

—Es un arquitecto muy talentoso. Pero ya lo sabes, viste los trabajos que te mostró ayer en su oficina. Hemos tenido mucha suerte al conseguir que se encargara de esta obra. Y como te digo, es muy buen partido, lo cual tiene su gran importancia.

—Por lo que dices, debes de conocer su casa —murmuró Meredith, por cambiar de tema.

—Sí, he ido un par de veces con Alain. En verano, nunca en esta época del año. Pero es una casona preciosa. Está entre Talcy y Menars.

—¿Dónde, en relación con nuestra hostería?

—Más arriba, pasando Blis, más cerca de Orleans que de Cormeron. ¿Recuerdas esa vez que Alain y yo te llevamos a Chambord?

Meredith asintió.

—Bueno, Chambord está en línea directa a Talcy, cruzando el río Loira.

—Creo que entiendo. ¿Y qué tipo de casa es?

—Grande y antigua. Clos-Talcy ha estado en la familia por cientos de años. Está muy bien mantenida. Creo que Luc pasa allí casi todos los fines de semana. Está a pocas horas de viaje, más cerca de París que Cormeron.

—Menos mal que traje ropa de campo —dijo Meredith, preguntándose súbitamente en qué se había metido.

—Oh, no te preocupes; creo que vive de una manera bastante informal —comentó Agnes. Y le entregó un trozo de tela. —¿Te gusta ésta?

Después de examinarla, Meredith hizo un gesto afirmativo.

—Me encanta este color rojo. Quedaría muy bien con muebles negros.

—En serio, Luc te miraba de cierta manera, *chérie* —insistió Agnes—. No es invento mío.

—Te creo —respondió Meredith. Y se echó a reír, divertida por las ideas románticas de su amiga.

11 ⟿

Su primera visión de Clos-Talcy fue una imagen doble: la casa en sí y su reflejo en el gran lago ornamental que estaba frente a ella.

—¡Oh, qué belleza! —exclamó. Luc de Montboucher la había llevado caminando hasta el recodo del camino, para hacerle ver el lago y la casa, a la distancia.

—No quería que la vieras desde el auto, sino desde aquí —explicó—. Este panorama es una sorpresa para todos. Reconozco que es una de mis cosas favoritas. Lo que me intriga es el reflejo, por supuesto.

—Una casa perfecta en un ambiente perfecto —murmuró ella, casi para sus adentros.

De pie junto a Luc, estudió con interés la construcción de ladrillo rosado y piedra clara, con techo de pizarra gris oscuro. Del tejado brotaban varias chimeneas altas y esbeltas; Meredith contó treinta y ocho ventanas y cinco buhardas.

Los altos árboles que rodeaban el *château* en gran número se reflejaban en el lago, junto con la fachada de la casa. En la combinación había una simetría maravillosa.

—¿Qué antigüedad tiene el *château*? —preguntó a Luc.

—Lo construyeron a principios del siglo diecisiete. Y los jardines fueron diseñados, unos cincuenta años después, por

Le Nôtre, el famoso paisajista de la época. —Luc continuó, tomándola del brazo: —Pero ven, volvamos al auto. Después de almorzar te llevaré a recorrer el parque. Si quieres, podemos caminar por los jardines, pero te advierto que en esta época se los ve bastante desolados.

—Oh, eso no me molesta. Por el contrario, me gustan los jardines en invierno. Suelen ser interesantes de una manera distinta, por supuesto. —Soltó una risita irónica. —Bueno, algunos, cuanto menos.

—A mí también me gustan los jardines en invierno —comentó Luc, abriendo la portezuela para ayudarla a entrar.

Luego ocupó el otro asiento y puso el auto en marcha. Mientras subían por la majestuosa avenida de plátanos, continuó:

—Por suerte, este año no hemos tenido mucha nieve, así que más tarde podremos dar un buen paseo.

Meredith hizo un gesto de asentimiento y se dedicó a mirar por la ventanilla. Al ver otro lago, más pequeño que el primero, confesó súbitamente:

—Siempre me han atraído las casas que están junto al agua o muy cerca de ella, aunque no tengo idea de por qué.

—Oh, lo entiendo muy bien —respondió Luc, echándole un vistazo—. Yo siento la misma atracción. Hay algo maravilloso en el agua encerrada por tierra; además, realza el entorno y todos los edificios que pueda haber cerca. Aquí, en Talcy, tenemos agua en abundancia. Además de ese lago ornamental hay otro más pequeño, el que acabas de ver, y un estanque para peces cerca de la huerta, un arroyo que cruza el bosque, una cascada e innumerables fuentes. —Rió entre dientes. —Uno de mis antepasados era aficionado a ellas, obviamente; en el parque tenemos una docena y algunas son magníficas, aunque sea yo quien lo diga.

Meredith sonrió.

—Qué agradable. ¿Sabes, Luc? Todas mis hosterías están cerca del agua, salvo Montfort-L'Amaury. Es lo único que no me gustó de ella cuando la vi por primera vez.

—Si quieres, puedo agregarle un lago o un estanque —ofreció Luc—. No es tan difícil. Y hay mucho terreno junto a la casa solariega. ¿Qué te parece?

—Podría ser muy bonito. Lo discutiré con Agnes. Tal vez pudieras darme una idea del costo.

—*Mais certainement*, por supuesto. Bueno, Meredith, hemos llegado.

Luc había detenido el coche en un gran patio adoquinado; al parecer, era la entrada frontal del *château*. Anchos escalones conducían a una enorme puerta de dos hojas, hecha de madera oscura y embellecida con adornos de hierro. Antes de que pudieran apearse, un hombre maduro en mangas de camisa, con chaleco negro y delantal a rayas verdes, salió de la casa y bajó corriendo, con una amplia sonrisa en el rostro.

—¡*Bonjour*, Vincent! —Saludó Luc, mientras bajaba del auto y corría a abrir la portezuela de Meredith.

—*Bonjour*, monsieur.

Luc y Meredith caminaron hacia el hombre, que estrechó la mano del propietario.

—Meredith, te presento a Vincent Marchand, que es quien maneja esta casa, junto con Mathilde, su buena esposa. Vincent, la señora Stratton.

—Madame —saludó el hombre, inclinando la cabeza con reverencia.

Ella le sonrió.

—Encantada de conocerlo, Vincent —dijo y le ofreció la mano.

—*Grand plaisir*, madame. —Él se la estrechó vigorosamente y corrió al baúl del auto, para retirar el equipaje. Cargado con varios bolsos, los siguió a la puerta.

Luc la hizo pasar a un vasto vestíbulo, casi cavernoso, con altísimas paredes de piedra y suelo de lajas. Dos gobelinos adornaban los muros de clara piedra caliza; del alto cielo raso pendía una araña de bronce y cristal, sujeta con cadenas. El único mueble era una larga consola tallada y dorada, sobre la cual se veían dos grandes urnas de piedra con flores disecadas; por sobre ella, un enorme espejo de marco dorado; en un rincón, una estatua de piedra que representaba a un caballero de armadura.

—Dame tu abrigo —dijo Luc. Y le ayudó a quitarse la prenda de vellón, para llevarla a un armario empotrado.

Un segundo después se abrió de par en par una puerta en el extremo del vestíbulo. Una mujer alta y regordeta corrió hacia ellos con pies ágiles.

—*Monsieur*! —exclamó, sonriendo a Luc antes de disparar hacia Meredith una mirada llena de flagrante curiosidad.

Él la besó en ambas mejillas.

—*Bonjour*, Mathilde. Quiero presentarle a la señora Stratton. Como le dije por teléfono, pasará el fin de semana con nosotros.

Mathilde se adelantó con una sonrisa y las dos mujeres se estrecharon la mano.

—La acompañaré hasta su cuarto, madame. —Y continuó rápidamente, echando un vistazo a Luc: —Como usted sugirió, monsieur, he preparado el cuarto de su abuela para la señora Stratton.

Luc condujo a Meredith hacia la escalera, diciendo:

—Espero que la habitación te guste. Era la favorita de mi

abuela. Desde ella se ve el agua... el lago ornamental, lo primero que viste de Talcy. Creo que acerté al elegirla.

—Me encantará, no lo dudo.

Mathilde los precedió por la escalera, seguida por Meredith y Luc. Vincent cerraba la marcha, con las dos valijas de la invitada.

Recorrieron un largo pasillo, alfombrado y con una hilera de ventanas. En las paredes había muchos cuadros. Meredith les echó un vistazo furtivo al pasar; eran retratos, probablemente de parientes sin mucha importancia, puesto que se los había relegado a ese corredor.

—*Voilà!* —exclamó Mathilde, abriendo una puerta de par en par—. He aquí la habitación de *grand-mère* Rose de Montboucher, a quien todos amábamos.

—Y temíamos —agregó Luc, guiñando el ojo a Meredith—. A veces era un ogro. Pero también hermosa, hermosísima. —Y explicó, al ver que ella miraba a su alrededor: —Ésta es la sala; el dormitorio y el baño están detrás de esa puerta. Pero continúo: mi abuela se enamoró de estas habitaciones cuando su esposo la trajo a Talcy por primera vez. Y las hizo suyas. A propósito: ahí tienes un retrato de ella. Sobre la repisa.

Meredith siguió la dirección de su mirada.

Sus ojos se posaron en la pintura de una joven extraordinariamente bella. La cabellera rubia con reflejos rojizos enmarcaba una cara pícara y un largo cuello blanco. Los ojos eran muy azules bajo las cejas arqueadas; la boca, ancha y generosa.

Meredith se acercó al fuego para contemplar el retrato con gran interés. El pintor había captado algo de la personalidad de su modelo; la sonrisa tenía una calidez inherente; también el rostro reflejaba la felicidad. Rose de

Montboucher vestía de chiffon rosado muy claro, con un suave drapeado en el cuello y una sarta de perlas. Meredith decidió que había sido pintado en la década de 1920.

—Tu abuela era preciosa, sin lugar a dudas —comentó, mirándolo por sobre el hombro—. Creo que también era algo traviesa. Hay cierto destello en esos ojos, tan notables, y en esa sonrisa contagiosa.

Luc asintió.

—La has evaluado muy bien. Había en ella mucho de travieso, además de una especial alegría de vivir. Era un auténtico gozo que a la gente le resultaba irresistible. Cuando yo la conocí era mucho mayor que en ese retrato, pero aun entonces daba la sensación de estar tramando algo. Nada bueno, decía siempre mi padre. Él era su primogénito y el favorito de sus cuatro hijos. Recuerdo que ella tenía un gran sentido del humor y era una cuentista extraordinaria.

—¿Era irlandesa?

—Sí. Mi padre la conoció en Dublín, en un baile. Había ido a cazar.

Mathilde salió del dormitorio, seguida por Vincent.

—¿Necesita ayuda para desempacar, señora Stratton? Le enviaré a Jasmine.

Ella meneó la cabeza.

—Gracias, Mathilde, pero puedo arreglarme sola.

El ama de llaves asintió con una rápida sonrisa. Después echó una mirada a Luc y salió volando, con la cabeza inclinada. Vincent corrió tras ella, esforzándose por seguirle el ritmo.

—Él es su sombra —murmuró Luc en voz baja, cuando estuvieron solos—. Los dos son un pan de Dios; siempre han trabajado en Talcy, y sus padres antes que ellos. Tienen dos hijas, Jasmine y Philippine, y un hijo, Jean-Pierre; todos trabajan aquí. Y ahora te dejo, Meredith, para que puedas refrescarte. ¿Estás segura de que no quieres que Jasmine suba a ayudarte con la ropa?

—No hace falta, de veras. Gracias.

Luc se subió la manga para mirar el reloj.

—Ah, son las doce apenas pasadas. Encontrémonos en la biblioteca dentro de una hora, ¿quieres? ¿O necesitas más tiempo?

—No, por supuesto.

Él sonrió a medias y giró sobre sus talones para ir hacia la puerta.

—Luc —llamó Meredith—. ¿Dónde está la biblioteca?

—Perdona. Olvidé que no conoces la casa. La biblioteca es la sala de en medio de la *enfilade*... es decir, la serie de cuartos comunicados entre sí, a la derecha del vestíbulo. Tomaremos una copa allí antes del almuerzo.

—Con gusto.

La puerta se cerró suavemente y Meredith volvió a estudiar el retrato de la abuela.

—Los ojos irlandeses sonríen —murmuró, pensando en la famosa balada.

En verdad, los ojos de Rose de Montboucher estaban llenos de risa. Y era una cara muy irlandesa, por cierto. Inconfundible. Meredith dio un paso atrás para contemplar el retrato por un momento más, entornando los ojos. "Rose de Montboucher me recuerda a alguien", pensó. Pero no sabía a quién. ¿A su nieto, tal vez? No, no se parecían. Luc era moreno y de ojos castaños. Una mujer de pelo rojo dorado y ojos muy azules... Un diminuto fragmento de recuerdo le saltó a la mente, pero fue fugaz; desapareció antes de que ella pudiera asirlo. Dedicó una última mirada a la pintura y pasó al dormitorio contiguo.

Era un cuarto acogedor; el fuego ardía alegremente en el hogar y las lámparas estaban encendidas. Estaba decorado en una mezcla de grises y suaves azules grisáceos. Las paredes estaban tapizadas de seda plateada; grandes cortinados cubrían las tres altas ventanas. La misma tela cubría la amplia cama de dosel, aunque parecía bordada a mano. Al mirar mejor, Meredith vio que las rosas amarillas, rojas y rosadas habían sido pintadas a mano sobre la seda gris. Alrededor del fuego había varias poltronas y un sillón de dos cuerpos, cubierto de terciopelo gris perla; en un rincón se veía un raro tocador antiguo, hecho por completo de espejo veneciano.

Fascinada, Meredith recorrió el dormitorio para mirar todo con atención, admirando su estilo y su elegancia, asintiendo para sus adentros cada vez que sus ojos detectaban una obra de arte en especial. Varios de los objetos estaban gastados y hasta algo raídos, pero el ambiente general era de elegancia europea, lujo y épocas pasadas. También daba una impresión de descanso, al igual que la sala contigua, decorada en una mezcla de rosas agrisados, azules tenues y verdes.

Por fin se detuvo frente al tocador veneciano. En la superficie se alineaban cepillos de plata con las iniciales de Rose de Montboucher; también había una colección de frascos de cristal y potes con cubierta de plata.

A un lado se veía una foto enmarcada en plata: un apuesto moreno vestido de gala. Meredith se inclinó a mirarlo y, por una fracción de segundo, creyó que era un retrato de Luc. Luego notó que el traje databa de 1920. Obviamente, era su abuelo, el esposo de Rose. "A él se parece Luc —decidió—. A su abuelo; es su viva imagen."

Después de retirar la ropa de sus dos valijas, Meredith fue al baño con su neceser. Inmediatamente quedó petrificada por el tamaño de ese cuarto y por el fuego que ardía en el hogar de mármol blanco.

Era un ambiente enorme, con una altísima ventana recubierta de encaje blanco, una anticuada bañera con patas y un cordón de campanilla para llamar a las criadas. Se preguntó si aún funcionaría, pero no quiso hacer la prueba, por las dudas.

12

Luc de Montboucher estaba en su estudio de la planta baja, en la parte trasera del *château*, sentado ante el tablero de dibujo, con una serie de planos esparcidos delante de él.

Los planos habían sido hechos por un colega de su firma y Luc tenía todas las intenciones de revisarlos antes del almuerzo, con la esperanza de darles su aprobación. Pero hasta el momento les había prestado muy poca atención.

No tenía la cabeza puesta en el trabajo, sino en Meredith Stratton.

Desde el momento en que la conociera en la casa solariega de Montfort-L'Amaury el miércoles por la mañana, esa mujer lo tenía intrigado. Más aún: estaba fascinado por ella. Por ser arquitecto y diseñador, era un hombre sumamente visual; por eso fue el aspecto exterior de Meredith lo que le atrajo en un principio. Le gustaba por su estatura, su cabello rubio y piel clara, por esos ojos verdes ahumados que tanto le decían sobre ella.

Era una mujer hermosa, con mucho estilo personal. Luc experimentaba un arrebato de auténtico placer cada vez que posaba los ojos en ella. También la apreciaba por su aplomo y su compostura, que le resultaban tranquilizadores. Las mujeres caprichosas invariablemente lo ponían nervioso.

Le bastó pasar un par de horas en su compañía para descubrir que era metódica, práctica, profesional, organizada y decidida; era natural que esas características lo cautivaran, pues Luc amaba el orden. No soportaba a las mujeres caóticas, que dejaban una estela de problemas, vivían en un desorden perpetuo y provocaban el mismo desorden en la vida de otros. Además, la energía y la personalidad efervescente de Meredith le resultaban muy atractivas; lo animaban, provocándole un impulso que no experimentaba desde hacía mucho tiempo.

"Lástima que viva en Nueva York, tan lejos", pensó, dando golpecitos con el lápiz contra la mesa de dibujo. Pero la distancia no era tanta que hiciera imposible una relación. Después de todo, existían los vuelos supersónicos. Con el Concorde se podía llegar a Manhattan en tres horas y media, cuatro a lo sumo. Apenas tres semanas antes había viajado de París a Nueva York para visitar a un cliente. Era fácil.

Luc quería, en verdad necesitaba conocer mejor a Meredith Stratton. Mucho mejor. Íntimamente. Lo atraía en el plano sexual como ninguna otra de las mujeres a las que había conocido en los últimos años. Supo que la deseaba el mismo miércoles por la noche, después de la primera reunión de negocios. Si el hombre no descubría eso después del primer encuentro, ¿cuándo podía descubrirlo? Y estaba seguro de que lo mismo les sucedía a las mujeres.

Casi contra su voluntad se había confesado con Agnes, pero sólo hasta cierto punto. Se limitó a hablarle de su interés por Meredith, su deseo de conocerla mejor. Esas confidencias tuvieron lugar el jueves por la noche, cuando él no pudo contenerse y la llamó a su casa. Fue entonces cuando le propuso que ella, su esposo y Meredith pasaran el fin de semana en Talcy, pero Agnes no pudo aceptar, porque Alain y

Chloe estaban engripados. De cualquier modo, le dijo que debía hacer su invitación a Meredith.

—No te preocupes —le prometió ella—. Después de la reunión del jueves, voy a proponer que almorcemos los tres juntos. Entonces encontrarás la manera de invitarla al *château*. Yo te facilitaré las cosas.

Como él vacilara, Agnes exclamó riendo:

—No seas tan pusilánime y cobarde, Luc. Meredith no tiene nada que hacer en el fin de semana y, aparte de nosotros, no tiene amigos en París. Casualmente sé que le gustas, así que aceptará. Y la pasarás bien con ella. Es estupenda. Todo el mundo la ama.

"Amar —pensó—. ¿Volveré a amar alguna vez?" Quería hacerlo; era lo que más deseaba. Le gustaban las mujeres, las admiraba y respetaba y quería volver a casarse. No le agradaba la idea de pasar solo el resto de su vida.

Hasta ahora el amor se había mostrado elusivo. Tras la muerte de Annick su vida se había detenido, dejándolo insensible. Con el correr del tiempo trató de recomenzar; bien sabía Dios que había tratado de volver a vivir, de mantener una relación que valiera la pena. Pero no hubo éxito. Sólo abundantes fracasos.

A decir verdad, en los últimos tiempos había conocido a dos o tres mujeres que eran muy buenas personas, pero ninguna de ellas encendió la chispa en él. Comenzaba a preguntarse si esa chispa no lo habría abandonado para siempre; en realidad, en los últimos tiempos había llegado a convencerse de que así era. Hasta que apareció Meredith. Ella lo apasionó de tal modo, sin siquiera intentarlo, que para Luc fue una verdadera sorpresa. Esta sensación era tan rara, tan fuerte su deseo, esa necesidad de formar parte de su vida, que se sintió obligado a cortejarla.

¿Con cuánta frecuencia puede uno tener esos sentimientos? Una vez en la vida, tal vez. Se corrigió de inmediato: en su caso, dos veces, pues había sentido lo mismo por Annick.

"Meredith Stratton —dijo por lo bajo. Anotó el nombre en la libreta que tenía ante sí y lo miró fijamente—. ¿Quién eres, Meredith Stratton? ¿Y por qué estás tan atribulada? ¿De dónde brota ese profundo pozo de tristeza que hay dentro de ti? ¿Quién te hirió tanto como para dejar cicatrices en tu alma? ¿Quién te rompió el corazón?" Luc sabía, por instinto, que Meredith había experimentado un gran dolor; lo veía reflejado en esos ojos llenos de humo, una infinita tristeza que moraba allí. Y deseaba calmar ese dolor, ahuyentar la tristeza; estaba seguro de poder hacerlo, siempre que se le diera la oportunidad.

Prefirió no preguntar nada a Agnes sobre Meredith, aunque se moría por hacerlo. Esa indiscreción no estaba en su carácter. En cierto sentido, tenía la sensación de conocer a Meredith, de saber cómo era en verdad, interiormente. Una buena mujer.

Como solía decir su encantadora abuela irlandesa: azul real. "Tu abuelo es azul real, Luc", decía siempre Rosie de Montboucher.

Así era Meredith.

El relojito negro de la mesa le indicó que eran casi las doce y media. Arrojó el lápiz con súbita impaciencia y se levantó para estirar las largas piernas. Estar sentado lo cansaba y se sentía entumecido por el viaje desde París.

Abandonó el estudio para correr por la escalera de atrás a su dormitorio. Después de quitarse la chaqueta, entró en el baño y se lavó la cara con agua fría.

Mientras se peinaba se miró en el espejo. Últimamente

habían aparecido algunas hebras de plata en el pelo negro; mirando bien, se lo veía ojeroso y fatigado. Tenía arrugas alrededor de los ojos. Decidió que no aparentaba cuarenta y tres años, sino más.

Meredith también tenía cuarenta y dos o cuarenta y tres; lo sabía por algo que había dicho Agnes, antes de que ella viniera de Londres. Se preguntó si a esa edad aún podría tener un hijo; probablemente dependía de cada caso. Él siempre había querido tener un hijo para prolongar la estirpe. De cualquier modo, poco importaba si no lo tenía. La vida era una lucha; de pronto Luc cayó en la cuenta de que deseaba prenderse de la vida, gozar la felicidad. El amor no tenía nada que ver con la progenie.

Sabía que Meredith podría hacerlo feliz. Lo sabía desde el fondo de los huesos. "Los huesos no mienten —solía decir la abuela Rosie, cuando él era muchacho—. En los huesos se notan muchas cosas, hijo. La buena crianza se lleva en los huesos. Fíjate en los caballos: aunque tengan fuerza y resistencia, con eso no basta. Un caballo de carrera necesita buena crianza. Yo sé de caballos, Luc; soy buen árbitro." *Oui, grand-mère*, respondía él, obediente. "Por favor, Luc, hoy habla en inglés." Sí, abuela. "Confía siempre en tus huesos —repetía ella—. Nunca mienten, Luc, nunca."

"Oh, abuela Rosie —se dijo, sonriendo para sus adentros ante ese recuerdo encantador—, tú sí que eras original."

Se apartó del espejo para volver apresuradamente al dormitorio. Tomó del armario una chaqueta de tweed gris y, después de ponérsela sobre el suéter negro y los pantalones gris oscuro, salió de la habitación.

Bajó por la escalera del frente y cruzó deprisa el vestíbulo hacia la biblioteca, echando un vistazo a su alrededor.

En el hogar crepitaba el fuego, la bandeja estaba bien provista de bebidas y había una botella de Dom Pérignon en el baldecito del hielo, tal como él había ordenado. Sólo restaba esperar la aparición de Meredith.

Se acercó a una de las puertas ventana para contemplar el jardín, pensando en lo hermosos que lucían los canteros; los setos oscuros, bien recortados, estaban cubiertos por una ligera escarcha que destacaba sus intrincadas formas geométricas. Era una suerte que sus hermanas hubieran decidido no pasar ese fin de semana en Talcy. Las quería mucho y se llevaba bien con los cuñados, pero se alegraba de tener la casa para sí solo. No había hecho grandes planes para la seducción, porque ése no era su estilo; le gustaba que todo sucediera con naturalidad. Pero sí quería que Meredith se sintiera relajada y cómoda, no en exhibición ante toda la familia.

Hubo un ruido leve, una pisada.

Luc se apartó de la ventana para mirar con expectativa hacia la sala contigua. Meredith venía caminando hacia él. Al verla experimentó el mismo arrebato de placer, la misma oleada de entusiasmo, y se adelantó exclamando:

—¡Ya estás aquí! Ven, Meredith, acércate al fuego. ¿Quieres una copa de champaña?

—Me encantaría, Luc —respondió ella, deslizándose por la habitación.

Mientras descorchaba la botella, él no pudo resistir la tentación de mirarla por el rabillo del ojo. Estaba arrebatadora con esa chaqueta beige a cuadros sobre los pantalones y el suéter de cachemira color crema. Era de esperar, claro. Luc contuvo una sonrisa; tratándose de Meredith Stratton, sus criterios no eran muy objetivos.

Se acercó al hogar llevando las copas y tomó asiento en el sofá, frente a ella, diciendo:

—Espero que tengas todo lo necesario y que estés cómoda en las habitaciones de la abuela Rosie.

—Oh, sí, muchas gracias. Me encantan. ¡Y ese baño! Por Dios, con hogar y todo. ¡Qué lujo! —agregó, riendo—. Me siento completamente malcriada.

Él también rió.

—Todas las suites de ese piso tienen hogares en los baños, pero no los usamos a menudo. Sólo para los invitados, en realidad, y eso en invierno. Es demasiado trabajo mantener todos los fuegos encendidos. En tiempos de mi bisabuelo, y hasta en los de mi abuelo, había ejércitos de sirvientes para encargarse de todo. Pero hoy en día es difícil y costoso conseguir personas de confianza, así que yo reduzco las tareas al mínimo.

—No puedo criticarte. —Ella lo miró con una cálida sonrisa. Él le caía muy bien y tenía ganas de conocerlo mejor. —¿Te criaste aquí? —preguntó, llena de curiosidad.

—Sí, con mis hermanas, Isabelle y Natalie. Ellas son menores que yo, pero la pasábamos muy bien juntos. Una finca como ésta es un lugar estupendo para los niños.

—Imagino que fue una niñez idílica.

—Supongo que sí, aunque por entonces no pensaba lo mismo. Mi padre era bastante estricto. Y con razón. —Por un breve momento la observó por sobre el borde de la copa. —Pareces algo melancólica. ¿Te ocurre algo?

—Oh, no, en absoluto —replicó Meredith, de inmediato—. Pensaba en lo diferente que fue mi propia infancia... —Se detuvo en seco, preguntándose qué la había inducido a decir eso, cuando rara vez revelaba a nadie detalles de su niñez.

Aunque no tenía modo de conocer sus pensamientos, Luc sospechó que Meredith había dicho más de lo que solía. Se le notaba en la expresión sobresaltada. Entonces se apresuró a preguntar:

—Pero tú también te criaste en el campo, ¿no? ¿En Connecticut?

Ella sacudió la cabeza.

—No. Agnes debe de haberte dicho que vivo en Connecticut, donde tengo una casa y una hostería. Eso es verdad. Pero me crié en Australia. Pasé la infancia en Sydney.

—¿Eres australiana?

—Sí. Cuanto menos, allá nací, pero a los veintidós años adopté la nacionalidad norteamericana. —Se reclinó contra los almohadones, mirándolo a los ojos. —Eso sucedió hace veintitrés años.

—¿Tienes cuarenta y cinco? ¡No puede ser! No los representas, por cierto. —Luc estaba sinceramente sorprendido.

—Gracias. En realidad, todavía tengo cuarenta y cuatro, Luc. Cumpliré los cuarenta y cinco a principios de mayo.

—Yo cumplo los cuarenta y cuatro el tres de junio. —Hubo una breve pausa. Luego él agregó con cautela, temiendo revolver malos recuerdos: —Por el tono de tu voz tengo la impresión de que no tuviste una niñez muy feliz.

—En efecto, fue horrible. Espantosa, de veras. Es injusto que un niño deba pasar por algo así —barbotó ella. De pronto se mordió los labios y apartó la cara hacia el fuego.

"Conque ésa es la fuente del dolor —pensó él—, cuanto menos en parte. Pero está ocultando mucho más." Guardó silencio por unos segundos, y le dio tiempo y espacio para recobrar la compostura. Por fin dijo:

—Lamento que hayas sido desdichada, Meredith. ¿Qué te pasó?

—Quedé huérfana a los diez años. Mis padres murieron al estrellarse con el auto. Fue muy duro. —Volvió a interrumpirse, con una sonrisa forzada y un encogimiento de hombros, y lo miró a los ojos con franqueza. —Pero eso fue hace mucho tiempo. La verdad es que ya lo he olvidado.

"No es cierto", se dijo él.

—¿Cuándo fuiste a Norteamérica?

—A los diecisiete años. Viajé a Connecticut como niñera de una familia norteamericana que había estado viviendo en Sydney. Más adelante pasé a trabajar con Jack y Amelia Silver. Ellos, en cierto modo, me cambiaron la vida. —Una encantadora sonrisa le cruzó la cara. —Es decir, me trataban como a una hermana menor. No eran mucho mayores que yo, ¿entiendes, Luc? No llegaban a los treinta y cinco años. Y me trataban como si fuera de la familia. Amelia y Jack fueron una compensación por... por esos años tan malos.

Luc asintió con la cabeza, absteniéndose de comentarios, y observó aquellos ojos verdes. Había pasado la tristeza del momento anterior, pero aún parecía acechar en el fondo. Se preguntó si él podría hacerla desaparecer por completo. No estaba seguro, pero quería intentarlo.

—Me estás mirando mucho, Luc —constató Meredith—. ¿Tengo alguna mancha en la nariz o algo así?

—No, nada de eso. —Hubo un súbito chisporroteo en los ojos oscuros. —Si quieres saber la verdad, te estaba admirando. Eres una mujer hermosa, Meredith.

Ella notó que el color le subía a la cara y se sintió mortificada. No era la primera vez que un hombre le decía un cumplido. ¿Por qué se ruborizaba ante Luc?

—Gra... gracias —logró tartamudear.

Fue un alivio que sonara el timbre agudo del teléfono. Él se levantó para atender.

—Clos-Talcy. *Bonjour.* —Escuchó por un segundo. —Un

momento, por favor. —Y se volvió hacia ella. —Es Catherine, tu hija.

A Meredith se le iluminó la cara. Se levantó de un brinco para acercarse al escritorio y tomó el auricular, dándole las gracias.

Luc se limitó a asentir con la cabeza y se alejó hacia la ventana, con la cabeza colmada por esa mujer. Tenía la sensación de conocerla intuitivamente; sin embargo, lo desconcertaba. Había en ella un aire de misterio. Le resultaba irresistible.

—Hola, Catherine, ¿cómo estás, querida? —preguntó Meredith. Luego escuchó la voz de su hija, que flotaba hacia ella desde Nueva York por el cable transatlántico. Su sonrisa se ensanchó. —Sí, me alegro por ti, querida. Me alegro muchísimo. —Apretó el teléfono con fuerza, siempre escuchando. —Sí, el lunes estaré de nuevo en París. No, no puedo volver hasta dentro de una semana, cuanto menos. —Hubo otra pausa. —Sí, está bien. Te llamaré el miércoles. Cariños a Keith. No te olvides de decírselo a Jon. Que pases un estupendo fin de semana. Te amo, Cat. Adiós.

Cortó. Cuando Luc se volvió hacia ella, cargado de expectativa, la vio sonreír.

—Mi hija acaba de comprometerse. Anoche. Está en el séptimo cielo.

De pronto apartó la cara y parpadeó conteniendo las lágrimas. Estaba tan feliz por Catherine que, por un momento, la dominaron las emociones.

—¡Pero qué noticia estupenda! Esto requiere un brindis y otra copa de burbujas, como decía abuela Rosie.

Después de volver a llenar las copas de cristal, Luc levantó la suya para tocar la de Meredith.

—Por el amor... y los finales felices —murmuró, mirándola con fijeza a los ojos.

Ella le sostuvo la mirada, y sintió que volvían a arderle las mejillas.

—Por el amor y los finales felices, Luc —repitió. Y tomó un sorbo de champaña. Luego fue a sentarse en el sofá. De pronto era muy consciente de la proximidad de Luc de Montboucher.

Él la siguió, pero se mantuvo de pie, de espaldas contra el fuego.

—¿Qué edad tiene tu hija? —preguntó.

—Veinticinco. Y tengo un varón de veintiuno. Se llama Jonathan y estudia abogacía en Yale.

Una sonrisa cruzó la cara de Luc.

—Allí estudié arquitectura. Un curso de postgrado, después de la Sorbona. ¡Qué coincidencia! ¿Le gusta?

—Sí, mucho.

—Me alegro. A mí también me gustaba. Fueron los mejores años de mi vida. —Rió entre dientes.

—¿De veras?

—Hasta cierto punto. Tuve otros años buenos. Antes y después. —Tomó un sorbo. Una expresión reflexiva pasó por su rostro.

—¿Luc?

—¿Sí?

—¿Nunca te casaste?

—Oh, sí. ¿Agnes no te habló de mí? —Enarcó una ceja interrogante.

—No. —Ella frunció el entrecejo. —¿Por qué?

—Oh, sólo preguntaba. —Luc se encogió de hombros. —Pensé que te lo habría dicho. Estuve casado, sí. Annick

147

murió hace seis años. Estaba en perfecta salud y, de buenas a primeras, se la llevó un cáncer virulento. Apenas vivió seis meses después del diagnóstico. Tenía sólo treinta y siete años. —Carraspeó. —Lo nuestro duró ocho años.

—Lo siento mucho, Luc. Qué tragedia. Debe de haber sido una pérdida terrible para ti. —Meredith lo miró con preocupación, temiendo haberlo alterado. Había sido una estupidez, una inconsciencia, mencionar a su esposa.

—No tuvimos hijos —comentó Luc.

Ella no dijo nada; estaba perdida en sus pensamientos, con la mirada en el vacío. Luc dejó su copa en la mesa ratona para arrojar un par de leños al fuego. Luego volvió a beber.

La habitación había quedado en silencio. Sólo se oía el crepitar de los leños y el tictac del reloj. Por fin Meredith dijo:

—No hay vida que sea fácil, pese a lo que podamos pensar. Siempre hay dolores, tribulaciones, problemas, mala salud. Y pérdidas, de un tipo u otro.

—Así es. Lo que dices es muy cierto. Mi abuela irlandesa, que no era sólo hermosa, sino también muy sabia, solía decirnos que la vida siempre había sido dura, que debía ser dura y jamás sería de otro modo. Que ésa era la suerte de todos nosotros, los pobres mortales, decía, y que cuando encontrabas un poquito de felicidad no debías dejarla escapar. También decía que, cuando encontráramos a la persona adecuada, debíamos aferrarnos a ella como a una tabla de salvación. Para siempre. Y tengo la fuerte sospecha de que abuela Rosie tenía razón.

—Yo nunca encontré a la persona adecuada —confesó Meredith. De inmediato, sorprendida, se arrepintió de sus palabras.

—Yo sí, pero murió. —Luc perdió la mirada a la distancia por un momento, como si contemplara algo visible sólo para él. —Nunca encontré a otra, pero no he perdido las esperanzas.

La miró con intención, pero Meredith pareció no darse cuenta.

—El padre de Catherine murió también —dijo de súbito—, pero de cualquier modo tenía esposa y no podía casarse conmigo. Del padre de Jon me divorcié. Ese matrimonio fue una equivocación; no nos aveníamos en absoluto...

La frase quedó pendiendo en el aire, inconclusa.

—¿Fue hace mucho tiempo? Lo de tu divorcio.

—Hace dieciséis años. —"Confesiones —pensó—. Y más confesiones. ¿Qué me pasa? ¿Por qué estoy revelando todas estas cosas tan íntimas a un hombre desconocido?"

—Ya encontrarás al hombre adecuado, Meredith. Estoy seguro. —Luc habría querido agregar que tal vez ya lo conocía, pero se abstuvo.

En la puerta apareció Mathilde, carraspeando. Luc se volvió hacia ella.

—Ah, Mathilde. ¿El almuerzo está listo?

—*Oui*, monsieur.

—*Merci*. —Giró hacia Meredith. —Estoy muerto de hambre. ¿Y tú?

—Sí, también.

Mientras la conducía hacia el comedor, él explicó:

—Pedí a Mathilde que preparara un almuerzo sencillo. Sopa de verduras, una *omelette*, ensalada de hojas, queso y fruta. Espero que te agrade.

—Me parece perfecto.

Luc la tomó del brazo con una cálida sonrisa y la llevó hacia el comedor, donde Mathilde esperaba para servir la comida.

De pronto a Meredith dejó de importarle lo que había revelado sobre sí misma. Sabía que él no iba a juzgarla; le inspiraba confianza.

Con Luc de Montboucher se sentía a salvo.

13

Después del almuerzo, Luc llevó a Meredith a recorrer el parque de Clos-Talcy. Mientras caminaban conversaron de muchas cosas, pero acabaron por volver a la abuela irlandesa. Luc le contó muchas anécdotas divertidas sobre Rose de Montboucher, con lo que la mantuvo plenamente entretenida.

En cierto punto ella comentó:

—Por la manera en que hablas de *grand-mère* Rose, es como si volviera a la vida. Me gustaría haberla conocido.

—Te habría gustado —observó Luc—. Era muy original. De carácter fuerte, animosa y valiente. La verdad es que ella dirigía la familia. Gobernaba con mano de hierro... y guante de terciopelo, claro. —Rió entre dientes. —A mi padre le gustaba provocarla con bromas. Cuando festejábamos su cumpleaños solía levantar la copa diciendo: "A la salud de ese gran hombre llamado Rosie". La frase es de Voltaire, claro.

—Que lo dijo de Catalina la Grande, cuando la conoció en Rusia —recordó Meredith—. Ella es uno de mis personajes históricos favoritos. He leído varias biografías suyas. También era fuerte y valiente. Y creaba sus propias normas.

—Es cierto. Pero es lo que hacen casi todas las mujeres fuertes, ¿no te parece?

—Sí... A veces lo hacen porque no tienen alternativa.

Luc la tomó del brazo para conducirla por un sendero lateral que llevaba hacia la huerta.

—En mil ochocientos setenta y uno, cuando mi tatarabuelo compró Talcy a la familia Delorme, se construyó ese estanque para peces. Lo alimenta el arroyo que cruza el bosque. Fue toda una obra de ingeniería.

Se detuvieron al borde del estanque. Meredith trató de mirar en sus lóbregas profundidades.

—¡Aquí hay peces de verdad! —exclamó, sorprendida.

—Por supuesto. Cuando era niñito solía pescar aquí. Mis hermanas y yo teníamos cañas y líneas. A veces la abuela Rosie también participaba. Era bastante buena para la pesca.

—Lo imagino.

Hubo silencio entre ellos mientras circundaban el estanque, girando hacia el bosque. Después de un momento Meredith murmuró:

—Tu abuela ejerció una gran influencia sobre ti, ¿no?

—Oh, sí. Es que fue ella quien nos crió. Mi madre murió de parto al nacer nuestro hermanito Albert; era prematuro y no llegó a vivir una semana. Este verano hará treinta y tres años, para ser exacto.

—Qué tristeza para ti... para toda la familia.

—Todos quedamos muy afectados, especialmente mi padre. Jamás volvió a casarse. Creo que la lloró hasta el día de su muerte.

—¿Cuándo murió tu padre, Luc?

—Hace casi dos años. No era muy mayor, para estos tiempos: tenía sólo setenta y un años. Fue fulminante: estaba en los establos y cayó muerto de un ataque. Gracias a Dios, ni siquiera se dio cuenta. Habría sido terrible que quedara inválido, porque era un hombre muy activo, un gran deportista.

—¿Y tu abuela? ¿Cuándo murió?

—En el noventa, con noventa años. Estuvo sana hasta el final, sin rastros de senilidad ni decrepitud, activa y con todas sus facultades intactas. Oh, sí, todavía era ella quien mandaba aquí. Una noche se acostó y no volvió a despertar; murió apaciblemente mientras dormía. Para mí fue una alegría que no sufriera. Igual que mi padre.

—Creo que es la mejor manera de irse: con las botas puestas, por así decirlo —dijo Meredith, como si pensara en voz alta—. O mientras duermes, como tu abuela. Morir de vejez es la cosa más natural del mundo. —Se volvió hacia Luc con una sonrisa. —Ese retrato que hay en mi salita es adorable, ¿no? Estuve tratando de calcular qué edad tenía cuando lo pintaron.

Luc arrugó el entrecejo.

—No estoy del todo seguro, pero cuando posó estaba recién casada con Arnaud de Montboucher, mi abuelo, y acababa de llegar a Talcy. Así que debía de tener veintidós o veintitrés años.

—Es lo que yo pensaba. Me recuerda a alguien, pero no sé a quién.

—Mi hermana Natalie se parece a ella, pero tú no la conoces, ¿verdad?

Meredith sacudió la cabeza, riendo.

—No.

—Natalie es hermosa. Se parece a la abuela en lo físico, pero en carácter no. Isabel tampoco. Fui yo quien heredó el carácter de Rose.

—Dejó su huella en ti, ¿verdad?

—Sin duda. He llegado a comprender que pienso como ella y tiendo a hacer las cosas como ella las hacía. Cuando

153

tienes una fuerte influencia en tu infancia, esa persona te deja su marca. Para siempre, creo; es como un sello indeleble. ¿Quién fue el que puso su sello en ti, Meredith?

—Nadie —respondió ella, casi con ferocidad. Y se mordió el labio al notar que su voz había sonado colérica. En tono más suave, agregó: —Me las arreglé como pude, aprendiendo sola. Nadie tuvo influencia sobre mí. No había ninguna persona en mi vida que pudiera ejercerla, porque estaba completamente sola.

Unos segundos antes se habían detenido cerca de una fuente y estaban frente a frente. Su tristeza conmovió a Luc, que habría querido rodearla con sus brazos. Pero no se atrevió. Cuando estaba por decir algo para consolarla, ella sonrió de súbito y la melancolía se desvaneció al instante.

—Pero más adelante, a los dieciocho años, tuve a alguien. Amelia Silver. Ella me enseñó a hacer ciertas cosas, me familiarizó con las antigüedades y los objetos de arte. Tenía un gusto maravilloso y condiciones artísticas. También Jack, su esposo, tuvo influencia sobre mí, en algunos aspectos.

—¿Y los Silver viven en Connecticut?

—Oh, no, murieron los dos. Hace más de veinte años. Lamentablemente, los dos murieron siendo jóvenes todavía.

—Lo siento. Eran una especie de familia para ti, ¿no?

Ella asintió con la cabeza, sin mirarlo.

—Yo tenía veintidós años cuando murió Jack, veintitrés cuando Amelia lo siguió. Los tuve en mi vida por muy pocos años.

Al notar que la tristeza había vuelto a la superficie, Luc la tomó de la mano.

—Ven, bajemos al lago ornamental. Es muy pintoresco, uno de los sectores más bonitos del parque.

Cuando llegaron al lago, que estaba situado a buena distancia de la casa, Meredith comenzaba a sentirse mal. La atacó una sensación de náusea y un peculiar agotamiento, que parecía anidar en sus huesos. Inesperadamente, con la sensación de que estaba por caer, se aferró del brazo de Luc, diciendo con voz débil.

—No sé qué me pasa, pero me siento muy descompuesta. Estoy muy cansada y con náuseas.

Él la observó con preocupación.

—Espero que no sea una gripe. Tal vez Agnes te pasó el virus.

—Lo dudo. Agnes no estaba enferma.

—No, pero su familia sí. ¿No pudo ser el vino que tomamos durante el almuerzo?

Ella meneó la cabeza.

—No bebí mucho. Pero ahora recuerdo que ya me sentía algo rara cuando llegué a París, el martes por la noche. En Yorkshire había pasado la mañana recorriendo una antigua abadía en ruinas y hacía mucho frío. Esa noche me pareció que estaba a punto de resfriarme. Pero a la mañana siguiente desperté bien. Supongo que es sólo cansancio.

—Puede ser. Volvamos a la casa. Tienes que descansar hasta la hora de la cena.

La rodeó con un brazo y juntos regresaron caminando al *château*.

Luc acompañó a Meredith hasta sus habitaciones y se ocupó de ella. Después de hacer que se quitara las botas, la obligó a recostarse en el sofá, agregó más leños al fuego y trajo una gruesa manta de cachemira para cubrirla.

—No te vayas —le recomendó, sonriente—. Volveré en unos minutos con una tetera llena de té al limón, endulzado con miel. Te hará la mar de bien. Una de las recetas de abuela Rosie.

Y salió, cerrando la puerta con suavidad.

Meredith reclinó la cabeza contra el montón de almohadones de terciopelo. Tenía tanto sueño que apenas podía mantener los ojos abiertos.

Debió de adormecerse, pues despertó con un respingo cuando Luc se inclinó hacia ella para apartarle un mechón de la cara. Ese gesto íntimo la sobresaltó por un momento; luego cayó en la cuenta de que no le molestaba. De pronto le parecía completamente natural.

—Puse el té aquí, en la otomana —dijo él en voz baja, todavía preocupado—. Bebe un poco antes de que se enfríe. Ahora me voy para que puedas descansar.

Y le estrechó el hombro.

—Gracias, Luc. Eres muy amable. Lamento haber abreviado el paseo, pero...

—No tiene importancia —aseguró él, de inmediato.

—¿Quieres apagar la lámpara, por favor?

—Por supuesto. Ahora descansa. —Y salió.

Meredith se tendió de costado, hecha una bola bajo la manta de cachemira, contemplando las llamas. Los leños crepitaban. Pasó largo rato observando el retrato de Rose de Montboucher.

La luz de la tarde se apagaba y el cuarto se iba llenando de sombras, pero el fuego rugiente y sus danzarinas llamas lanzaban un resplandor rojizo. Ante esa luz incandescente, Meredith tuvo la sensación de que el cuadro de Rose cobraba vida. Su rostro estaba lleno de vida, sus ojos azules chisporroteaban de gozo; los rizos enmarcaban esa cara sublime como un halo de cobre pulido. ¡Qué hermosa era, qué radiante!

A Meredith se le cerraron los ojos. Se dejó llevar por una oleada cálida. Su mente estaba colmada por ese rostro... los recuerdos luchaban por obtener preeminencia... fragmentados en trocitos infinitesimales. Cayó en un sueño profundo. Y soñó.

El paisaje se extendía interminablemente, hasta donde llegaba la vista: kilómetros y kilómetros de desolación. Había algo siniestro en ese lugar sin árboles, donde nada brotaba en la tierra resquebrajada y reseca.

Ella caminaba desde que tenía memoria. Se le hacía una eternidad. Estaba cansada, pero cierta decisión interior la impulsaba hacia adelante. Sabía que estaban allí, en alguna parte. Los niños. Los había seguido hasta allí. Pero ¿dónde podían estar? Lo recorrió todo con la vista. La tierra estaba desierta; no había sitio alguno donde pudieran esconderse.

Ayúdame a encontrarlos, por favor, Dios mío. Ayúdame a encontrarlos, rogó. E inmediatamente comprendió que sus plegarias caían en suelo árido. Allí no había Dios. Ese vacío, ese mundo, carecía de dioses.

De pronto vio que algo se movía cerca del borde pálido del horizonte. Echó a correr. La tierra seca y resquebrajada cedió súbitamente paso a llanuras lodosas; sus zapatos chapoteaban y se hundían en el barro, atascándose a veces; el avance era lento.

Persistió. Pronto volvió a pisar suelo seco. Corrió sin parar.

Las motas del horizonte se acercaban más y más, irguiéndose frente a ella como si hubieran retrocedido de un salto. Vio a un niño que llevaba de la mano a una pequeña. Así como se habían acercado, así se alejaron otra vez hacia adelante, velozmente. Ella corrió y estuvo a punto de alcanzarlos una vez más. Ellos caminaban despacio, aún de la mano. Los llamó, les gritó que la esperaran. Pero ellos siguieron como si no la oyeran. El cielo cambió, se tiñó de un extraño verde grisáceo y se levantó un fuerte viento que la impulsó hacia adelante. De pronto el niño se elevó en el aire, como remontado por una ráfaga, y desapareció en el cielo.

Ahora la niñita estaba sola. De repente giró en redondo y echó a andar hacia ella. Meredith apretó el paso para ir a su encuentro. La niña era tan débil y patética, con su carita pálida y demacrada, con sus grandes ojos tristes. Llevaba zapatos y medias negros y un grueso abrigo de invierno, una pequeña boina negra en la cabeza y una larga bufanda a rayas anudada alrededor del cuello. Tenía un enorme rótulo prendido a la solapa del abrigo. Lo señaló. Meredith aguzó la vista, tratando de descifrar el nombre de la niña, escrito allí, pero no pudo.

De súbito, tomándola por sorpresa, la niña se alejó corriendo. Meredith trató de seguirla, pero tenía los pies atascados en el lodo. La llamó a gritos para que regresara, pero la niña no se detuvo. Se limitó a correr y correr hasta que desapareció del panorama.

Se produjo un ruido crepitante; luego, un ruido terrible, como fuego de granadas, y todo estalló a su alrededor...

Meredith se incorporó bruscamente, con la cara y el cuello bañados en sudor. Estaba desorientada y tardó un momento en ubicarse. Por fin recordó que estaba en Talcy, en la salita de la abuela Rosie.

Afuera bramaba la tormenta surcando con relámpagos el cielo oscurecido; los truenos sacudían las ventanas. Se estremeció, se acurrucó bajo la manta con que Luc la había arropado, y se quedó contemplando el fuego moribundo del hogar. El miedo estaba allí adentro, asolándola.

Entonces recordó. Comprendió por qué estaba tan asustada. Era por el sueño. Ese sueño que se había repetido tantas veces en su vida. Llevaba años sin presentarse. Y de pronto esa antigua pesadilla familiar volvía a perseguirla, a intimidarla otra vez, como en otros tiempos.

14

Ya de regreso en París, los pensamientos de Meredith volvieron con frecuencia a ese fin de semana pasado en Clos-Talcy. Muy especialmente, el centro de sus reflexiones era Luc de Montboucher.

Le gustaba. Era más que eso, en realidad. La bondad con que la tratara le había dejado una impresión duradera.

La bondad siempre le había resultado importante, tal vez por lo escasa que había sido en su vida. No la conoció en absoluto siendo niña; el hecho de crecer sin ella la había obligado a recubrirse con un caparazón de hierro. Sólo la señora Paulson había podido atravesarlo. Y los Silver, por supuesto.

Y si la bondad era importante para los niños, también lo era para las mujeres adultas, sobre todo después de los cuarenta años. Pero dejando esa característica a un lado, Luc le resultaba muy atractivo como hombre.

Era muy apuesto, con su hermosura morena y sus facciones finas, pero ése no era su mejor rasgo, en lo que a ella concernía. Hacía mucho tiempo que no bastaba el atractivo físico para despertar su interés.

Lo admiraba por su inteligencia y su talento; también por su integridad, que instintivamente reconocía como inexpugnable. También veía en él un buen sentido del humor;

además, ella había descubierto que compartían muchos gustos: los buenos libros, la música clásica, una copa de champaña helado frente al fuego en las noches de invierno, por no mencionar las casas construidas junto al agua, las vidrieras de colores y las delicadas pinturas de Marie Laurencin. En resumidas cuentas, Luc era un hombre impresionante; ella se alegraba de haberlo conocido y de haber aceptado su invitación para visitar el *château* del Loira.

Habían vuelto a París a primera hora del lunes. Ella pasó casi toda la tarde con él y con Agnes, en el Manoir de la Closière de Montfort-L'Amaury, estudiando los cambios que deseaban hacer. Esa noche Luc la llevó a comer en el Relais Plaza; el martes cenaron en Grand Befour.

Habían reído mucho en los últimos días. Meredith empezaba a darse cuenta de la enorme impresión que él le estaba causando y de lo mucho que le interesaba. Aunque hacía apenas una semana que se conocían, Luc ya se le había metido en la piel. Lo echaría de menos cuando volviera a Nueva York. Mentalmente estaba ya planeando el próximo viaje a París. En Manhattan tenía asuntos que atender; además, debía firmar los documentos iniciales para vender Hilltops a los Morrison. Y no veía la hora de ver a Cat, de abrazarla, llenarla de mimos y celebrar su compromiso con Keith.

Pero todo eso estaría liquidado en diez días, a lo sumo; luego volvería a abordar el Concorde. En todo caso, su presencia en París era necesaria por la remodelación de la vieja casa solariega. El lunes, los tres habían acordado que sería moderna y actualizada en todo sentido, sin perder su estilo básico y su encanto. Y requería su sello personal, por supuesto: el ambiente y la elegancia que la proclamaran como creación de Havens Incorporated.

La noche anterior, en la quietud de su cuarto de hotel, se había preguntado qué pasaría cuando la posada estuviera lista. Por su parte, la respuesta era inmediata. Se requeriría todo un año para completar la obra; por lo tanto, en ese período ella pasaría mucho tiempo en París. La Ciudad Luz. La ciudad de los amantes.

"Las cosas se resolverán solas", se consoló en las primeras horas de la mañana. Mucho tiempo atrás, Meredith había comprendido que la vida suele encargarse de esas cosas.

"Día por día, paso por paso —decidió, mientras se preparaba para acostarse—. Es lo único que puedo hacer. Ya veremos qué sucede. Todo debe seguir su curso normal."

Sabía demasiado bien que una relación aparentemente promisoria podía quedar en la nada, disolverse en un torbellino de recriminaciones y rencores. Después de todo, acababa de sucederle algo así con Reed Jamison. Le cambió la cara al pensar en él. ¡Qué final desagradable, aquél! Pero Reed y Luc eran muy distintos, polos opuestos; además, las comparaciones siempre eran tontas y hasta odiosas.

Luc era tan recto, tan franco, que sin duda ella sabría siempre exactamente a qué atenerse. Allí no habría juegos sucios. También era un hombre considerado, responsable y maduro, que sin duda la respetaba, tanto como ella a él.

Meredith había pasado la mayor parte del martes con Agnes. Le llamó la atención que su socia francesa no se mostrara muy interesada en el fin de semana; apenas le hizo unas pocas preguntas someras. Claro que estaban muy ocupadas con los planes para la hostería y sus andanzas por París. Habían visitado incontables tiendas de antigüedades y sederías, tomado fotos polaroides de muebles y recolectado muestras de tela y papel. Como tenían gustos similares e ideas iguales en cuanto a la decoración y el amoblamiento de la hostería, en ese aspecto no hubo problemas.

Fue el miércoles por la tarde, en la oficina de Agnes, cuando Meredith mencionó a Luc. Las dos estaban seleccionando muestras de tela que alineaban en una tabla, buscando combinaciones viables.

De pronto Meredith dijo:

—Anoche Luc me invitó otra vez al *château*. Para este fin de semana.

Agnes levantó la vista.

—No me sorprende. Le gustas mucho.

—Y él a mí.

Su amiga se echó a reír.

—A casi todas les pasa lo mismo. Es irresistible. No me explico que no haya vuelto a casarse.

—Puede que aún no haya superado la pérdida de su esposa.

—Ah, ¿te habló de ella?

—Sí. Y es mucho más de lo que hiciste tú, pese a tus promesas. Metí la pata con eso. Creo que lo puse nervioso.

—Discúlpame por no telefonearte, como había prometido. Pero Chloe estaba muy descompuesta y me tenía muy ocupada. De cualquier modo, sólo pude hablar con Alain el domingo por la tarde. No me pareció correcto llamarte a Talcy para chismorrear sobre tu anfitrión.

—No, claro. Me habría sentido muy incómoda.

—Alain conoce a Luc desde hace muchos años, Meredith, pero no son grandes amigos; se tratan sólo ocasionalmente. Sólo intimamos un poco más el año pasado, mientras él estaba diseñando una casa para la hermana de Alain. Y él nunca mencionó a Annick. De su pasado tenemos sólo una idea...

bastante vaga, y no somos de los que hacen preguntas indiscretas...

Dejando la frase sin terminar, Agnes se encogió de hombros.

—Comprendo —dijo Meredith—. A veces conoces a alguien y entablas una gran amistad sin saber gran cosa de su vida privada. —Se respaldó en el sillón cruzando las largas piernas. —Son muchas las cosas que me gustan de Luc, Agnes. Me gusta como persona, porque es sincero y honrado. Además sabe escuchar con atención. Eso es una rareza, en estos tiempos.

—Es un tipo de hombre que vale la pena tomar en serio. Sé sin lugar a dudas que no es un *playboy*. Tampoco es mujeriego en absoluto. —Agnes miró a su amiga, acicateándola. —¿Podrías llegar a algo con él? ¿A algo serio?

Meredith vaciló por un instante.

—Sí, Agnes, podría. Es el tipo de hombre que me gusta y que ya temía no volver a encontrar. Los hombres como Luc suelen estar muy comprometidos.

—Tienes toda la razón, *ma chérie*, pero creo que Luc no ha querido comprometerse con nadie. Hasta ahora. Si quieres saber la verdad, me dijo que le gustabas y que deseaba conocerte mejor.

Meredith la miró con fijeza.

—Ah... ¿Y cuándo fue eso?

—La semana pasada, después de que los presenté.

—¡Y no me dijiste nada! ¡Muchísimas gracias, amiga mía!

Agnes estalló en una carcajada, meneando la cabeza.

—Él no me pidió que le guardara el secreto, pero me pareció que el silencio era oro y todo eso. Además, no quería asustarte. Se me ocurrió que me tratarías de tonta romántica.

Acuérdate de todos los hombres que te he presentado en estos ocho años. Todos eran atractivos y buenos partidos, pero ninguno pareció interesarte en absoluto.

—En efecto.

—Sin embargo, Luc te interesa.

Meredith asintió con la cabeza.

—Hum, no te lo puedo reprochar. Es muy sexy. Sensual, diría yo. ¿No es así?

15

El jueves trabajaron juntos en el estudio de Luc desde que llegaron a Talcy hasta las siete de la noche. Y a las nueve de la mañana siguiente reanudaron el trabajo.

Una vez más fue una larga jornada, interrumpida sólo por el almuerzo. Ya avanzada la tarde del viernes, Luc dejó el lápiz para mirar a Meredith, que estaba sentada al otro lado del cuarto, ante un pequeño escritorio, pegando muestras de tela, alfombrado y pintura en distintas tablas, creando las primeras combinaciones para la hostería.

—No debería haberte hecho esto —musitó él, reclinándose en la silla, con los ojos clavados en ella.

—¿De qué hablas? —preguntó Meredith, levantando la vista.

—Te he mantenido encerrada en esta oficina desde ayer por la mañana, y sólo porque quería trabajar teniéndote cerca.

Ella se limitó a sostenerle la mirada sin decir nada.

—Tenía prisa. Quería terminar los planos del estanque y estos dibujos. Pero me siento culpable por ti. Debería haberte dicho que salieras a pasear, a pie o a caballo, o cuanto menos dejar que descansaras.

—Me gusta hacerte compañía, Luc —interrumpió ella—, y trabajar a tu lado. De cualquier modo, lo mismo habría hecho si me hubiera quedado en París: combinar las muestras y armar las tablas. De veras, ha sido maravilloso compartir estos días contigo.

—¿De veras?

—Oh, sí.

—Meredith...

—¿Sí, Luc?

Él abrió la boca para decir algo, pero cambió de idea y se levantó para acercarse a ella. Puso en el escritorio la hoja de papel que llevaba.

—Aquí tienes el dibujo del estanque. Así quedará cuando esté terminado.

—¡Oh, Luc, qué maravilla! Se parece al estanque para peces de aquí.

—Lo puse cerca del bosquecillo que hay detrás de la casona de Montfort-L'Amaury, así como en Talcy está cerca de la huerta. Me parece pintoresco, ¿y a ti?

Mientras hablaba se inclinó hacia ella para seguir con el dedo el dibujo del estanque, el bosquecillo y la casa solariega, al fondo.

Ella percibió su aliento cálido contra el cuello. Se mantuvo inmóvil, sin atreverse casi a respirar. Le ardían las mejillas; por ella se expandió un inesperado calor de deseo.

—Quería complacerte, Meredith.

Se volvió a medias para mirarlo, inclinando la cara hacia arriba.

—Me encanta, Luc. Es perfecto.

Sonrió.

Él quedó deslumbrado. No dijo nada. No podía hablar. "Te deseo." Ésas eran las palabras que tenía en la punta de la lengua. Sólo en eso podía pensar, por el momento. Llevaba días enteros pensándolo. Iba a decirlo, pero en cambio se acercó un poco más y, sin poder contenerse, la besó en los labios, levemente al principio, con más intensidad al responder ella con ardor.

Al cabo de un momento se detuvo, pero sólo por un instante, a fin de ponerla de pie. Al segundo ella estuvo en sus brazos. La estrechó; Meredith le rodeó el cuello con los brazos. La pasión crecía.

"Oh, Luc, querido mío —pensó ella—. Cómo ansiaba esto, tenerte en mis brazos." Pero quedó sin decir, porque los besos hambrientos de Luc la enmudecieron.

De pronto él se detuvo para decir, con voz ensordecida por la emoción:

—Te quiero, Meredith. Te deseo desde el día en que nos conocimos.

—Oh, Luc...

La estaba besando otra vez, con apetito, como si fuera a separarse de ella para siempre. La estrechó contra sí, moldeándose a su cuerpo, pensando en lo perfecto que era el ajuste; ella tenía casi la misma estatura.

Meredith se dijo que así debía ser siempre aquello entre hombre y mujer. Él le estaba besando las mejillas, los ojos, la frente, el cuello, las orejas. Volvió a buscarle la boca y luego susurró contra su cuello:

—He pensado tanto en ti que es como si ya hubiéramos hecho el amor. ¿Comprendes lo que quiero decir, lo que siento?

—Sí.

—Esto va en serio, Meredith. Si no sientes lo mismo, dímelo ahora. Porque una vez que comencemos no habrá modo de retroceder. Para mí no.

—Te quiero, Luc. Siento lo mismo.

Él la apartó un poco, firmes las manos sobre sus hombros, y la miró profundamente a los ojos. Ojos de un verde ahumado, que siempre reflejaban lo que pensaba y sentía; reflejaban su alma. Había visto brillar en ellos la inteligencia, la alegría y la reflexión, pero también una arraigada tristeza. Ahora sólo veía deseo anhelante, y era por él.

La tomó de la mano para llevarla hacia la escalera de atrás; subieron deprisa, sin que él la soltara, y recorrieron el pasillo.

Una vez en el cuarto de Luc, echó llave con una mano y volvió a besarla, una y otra vez, mientras la guiaba hacia la cama. Por fin la soltó para retirar el acolchado, arrojó su chaqueta a una silla y forcejeó con el suéter y los vaqueros, mientras ella hacía otro tanto.

La atrajo hacia sí, repitiendo su nombre mientras caían en la cama, aún a medio vestir, con los cuerpos entrelazados. Enredó las manos en su densa cabellera dorada y bajó la cara para rozarle los labios con la lengua, ligera, tentadoramente.

Meredith respondió con ansiedad; sabía que eso estaba bien, que así debía ser. No albergaba dudas sobre ese hombre. El deseo de su voz, las ansias de sus ojos oscuros, le habían dicho cuanto necesitaba saber.

Sentía el corazón liviano. Lo deseaba, quería sentir sus manos en todo el cuerpo, saborear sus besos y su pasión. Quería estar con él, unida a él.

Luc captó su deseo, su creciente ardor, y eso lo inflamó más aún. Lo invadía la más sensual de las sensaciones; quería entregarse a ella por entero.

De algún modo se quitaron apresuradamente el resto de la ropa y volvieron a abrazarse. Él la miró a los ojos por un momento, deleitándose en ver el placer que reflejaba, apenas visible a la luz ya escasa de la tarde. Trazó con la mano una línea por su mejilla, cruzando la boca y lo hizo con ternura.

Con los miembros entrelazados, boca sobre boca, manos acariciantes, se exploraron con apetito, hambrientos. Para ambos había pasado demasiado tiempo.

Luc se entregó al puro gozo del contacto, de los besos que caían sobre él. En la boca, la cara, los párpados. Rodó hasta ponerse sobre ella, alineando los cuerpos.

Brazos de seda, piernas de seda se envolvieron a él, atándolo con la más suave y bienvenida de las cuerdas. Penetró en ella más profundamente, percibiendo los suaves gemidos que escapaban de su garganta. Se hundió más y más, sabiendo que había hallado a la mujer adecuada. Por fin. La mujer que esperaba para que llenara el vacío y borrara la oscuridad. Y al sepultarse aún más en ella se produjo, milagrosamente, el fin del dolor. Meredith lo había liberado. Se alzó en raudo vuelo. Alto, más alto.

Meredith se movió contra él, imitando su ritmo; estaban unidos, conformaban una misma entidad. "Una cópula perfecta", pensó Luc. Y fue exactamente como lo había imaginado, como esperaba que fuera.

Ella también lo esperaba así. Luc estaba tocando su mismo fondo, llegando hasta su corazón, y la llenaba como nunca nadie lo había hecho desde su juventud. Él le deslizó las manos bajo las nalgas para acercarla aún más. "¡Te quiero más cerca! —gritó ella en silencio—. Todo tú, Luc, te quiero entero." Y se abandonó de buena gana.

Luc sintió que el corazón le palpitaba con fuerza al moverse contra ella, ya casi con violencia, atrapado en el ritmo de los cuerpos. Su gozo iba en aumento.

"Oh, Dios —pensó—, esto es lo único que existe. Sólo

esta mujer. Sólo yo, ella y esta unión. Ella es todo lo que quiero. Por el resto de mi vida, hasta el día de mi muerte. Con ella vuelvo a estar entero." Y entonces dejó de pensar, moviéndose con ella en súbito frenesí, cada vez más alto, hasta llegar a la cumbre de la sensación pura. Quería que ese éxtasis durara para siempre.

Y Meredith comprendió que por fin, después de tantos años, había hallado a su verdadera pareja.

Luc se estremeció, agitado por espasmos, gritando su nombre al perderse en ella. Y Meredith respondió exclamando:

—Luc, oh, Luc.

Después, ya pasado el frenesí, él la retuvo en sus brazos, acariciándole el pelo. Meredith se acercó un poco más, y envolvió una pierna con la suya, y Luc la estrechó con más fuerza.

Ella tenía la cara apoyada en su pecho. Lo besó allí y Luc la sintió sonreír.

—¿Qué pasa? —preguntó.

—¿A qué te refieres?

—¿Por qué sonríes?

—Porque soy feliz, Luc.

—Esto es sólo el comienzo —observó él, mientras se inclinaba para besarle la cabeza—. Ya temía no encontrarte nunca.

—¿Me estabas buscando? —Su voz estaba llena de felicidad.

—Oh, sí, *ma chérie*, desde que... desde hace mucho tiempo.

—Y yo a ti, aunque tal vez no me daba cuenta. Empezaba a pensar que el hombre adecuado no aparecería jamás.

—¿Soy yo?

—¿Si eres qué? —bromeó ella, aunque había comprendido.

—Si soy el hombre adecuado, Meredith.

—Oh, sí, por completo, en todo sentido.

—Somos una buena pareja, Meredith. Muy buena. Cuando estamos juntos disfruto de cada momento. Y ahora... bueno, me has dado tanto placer que aún estoy aturdido. ¿Y tú? ¿Te complací?

—Por supuesto. Ya debes de saberlo.

—Sí, supongo que sí, pero me gusta escucharlo de tu boca, Meri.

Sintió que se ponía rígida contra él.

—¿Qué pasa? ¿No te gusta que te diga Meri?

—No me molesta —respondió ella deprisa, al detectar su tono preocupado—. Es que son pocos los que me llaman así.

Haciéndola girar hacia arriba entre sus brazos, él le tocó la cara con suavidad, mirando al fondo de esos ojos brillantes, y dijo con mucha ternura:

—No quiero ver nunca más en tus ojos esa tristeza terrible. En tu vida ha habido demasiado dolor, demasiado pesar.

Ella no respondió.

—Si alguna vez quieres hablar de eso, Meri, aquí me tienes. A veces, desahogarse ayuda.

—Algún día, tal vez.

Él asintió con la cabeza y se inclinó hacia adelante para besarla en los labios.

—Te has convertido en alguien precioso para mí en muy poco tiempo. Estoy enamorado de ti, Meri.

Ella lo miraba. De pronto se le llenaron los ojos de lágrimas. Tragó con dificultad, tratando de contenerlas, pero no pudo. Le rodaron lentamente por las mejillas.

—Oh, *ma chérie*, no llores, no hay nada por qué llorar. —Luc levantó una mano para enjugarle las lágrimas con la punta de los dedos. —¿Crees que podrías enamorarte de mí?

—Ya lo hice —susurró ella.

Y empezó a llorar otra vez.

—¡Gracias a Dios! —Luc la besó en los labios, en las mejillas, en los ojos, probando la sal de las lágrimas. —Basta de penas. Yo me voy a encargar de eso —dijo, contra su cara húmeda—. Desde ahora en adelante, sólo felicidad, Meri.

Pero se equivocaba.

SEGUNDA PARTE

TIEMPO PRESENTE, TIEMPO PASADO

16

Meredith estaba en el extremo del salón, apoyada contra un aparador Sheraton, iluminado por dentro, con sus estantes llenos de invaluables estatuillas.

Pocos minutos antes, al acercarse para contemplar esa incomparable colección, se había sentido súbitamente débil. Por no maniobrar entre la multitud en busca de asiento, se había quedado allí, con su copa de champaña.

Aspiró hondo, rogando que no fuera otro de sus ataques. Así había comenzado a llamarlos: dos en enero, mientras estaba en Francia, y tres el mes anterior. Se preguntó cuántos más tendría en abril.

Se presentaban y desaparecían con la misma celeridad, sin dejarle ningún malestar; aun así la ponían nerviosa. Nunca sabía cuándo podía sufrir uno de ellos.

Días antes, en la oficina, había hablado con Amy del asunto, explicándole que se habían iniciado en París y que desde entonces continuaban. Su asistente le dijo de inmediato:

—Se están volviendo demasiado frecuentes. Creo que deberías consultar con un médico. ¿Quieres que te pida turno con Jennifer Pollard?

Meredith sacudió la cabeza y le dijo que no llamara a la doctora. Ahora se preguntaba si no había sido una tontería no hacerle caso. En ese momento sentía las piernas débiles y la fatiga se filtraba lentamente por todo su cuerpo; no pudo sino preguntarse si podría resistir hasta el final de la velada.

Era preciso, por muy mal que se sintiera. Aquélla era una ocasión muy especial en la vida de su hija y en la suya propia. Era la fiesta de compromiso de Cat, que ella había esperado con tantas ansias.

Meredith consideraba que, en realidad, esa fiesta le habría correspondido a ella, pero Margery y Eric, la hermana y el cuñado de Keith, habían insistido en que se celebrara en su *penthouse* de Park Avenue, y ella no tuvo más alternativa que acceder.

Pero estaba decidida a organizar, dentro de pocas semanas, una cena de celebración para Cat y Keith. Ojalá Luc pudiera asistir. Había pasado la semana anterior en Nueva York, con ella. Tenía intenciones de quedarse para la fiesta de compromiso, pero a último momento debió regresar a Francia; se había presentado un problema en una de sus obras arquitectónicas más importantes, un complejo comercial de Lyon, y era imprescindible su presencia en el solar.

Para ambos fue una desilusión que él no pudiera quedarse, pero volvería a Nueva York diez días después, para pasar un fin de semana largo con ella en Silver Lake. Meredith no veía la hora de tenerlo consigo. Estaban muy enamorados y, en los dos últimos meses, se habían apegado muchísimo. Si estaban en una misma ciudad, rara vez se separaban; cuando tenían el Atlántico en medio hablaban por teléfono todos los días. "Él es todo lo que deseo de un hombre", pensó, echándolo de menos. ¡Cómo le habría gustado tenerlo con ella esa noche!

Se maravillaba constantemente de la suerte que le había

permitido conocer a Luc y de su extraordinaria compatibilidad. A sus hijos les gustaba, y él les había tomado mucho cariño. Se llevaba muy bien con Jon; no sólo tenían la universidad de Yale en común, sino que ambos eran aficionados al deporte y, sobre todo, adictos al fútbol. Y Cat se sentía también a gusto con Luc, puesto que ambos tenían temperamento artístico. Él quedó impresionado con el talento de Cat como ilustradora; la consideraba una verdadera artista. Para Meredith fue un gran orgullo que él la felicitara por sus hijos, con obvia admiración en la voz.

Echó un vistazo entre la multitud que llenaba el salón, deseando que reaparecieran Cat o Jon. Había allí unas sesenta personas, de las que ella no conocía casi a nadie, descontando a la familia íntima de Keith: sus padres, Anne y Paul, sus hermanas Margery, Susan, Rosemarie, Jill y Wendy, y sus dos hermanos varones: Will y Dominick, aparte de Eric Clarke, el esposo de Margery, que era uno de los anfitriones.

La familia Pearson era un amplio y bullicioso clan de origen irlandés, tan numeroso como el de los Kennedy, según le había informado recientemente Cat. Sin embargo, los Pearson no provenían de Boston, sino del corazón de Connecticut. De pronto Meredith cayó en la cuenta de que allí debían de haberse reunido todos, pues había innumerables tíos y primos con sus proles.

"Y nosotros, que somos sólo tres, una familia tan pequeña", pensó. No podían medirse con un gentío como los Pearson. Meredith se sintió inesperadamente abrumada; luego experimentó una sensación de pérdida tal que la sobresaltó. No podía explicarse lo que le pasaba.

Blanche y Pete O'Brien habían venido desde Silver Lake para asistir a la fiesta; ellos también eran como de la familia, pero aun así... Meredith cerró los ojos con fuerza y se esforzó por desprenderse de esa horrible sensación.

Un momento después abrió los ojos para recorrer el salón con la vista, preguntándose dónde estarían Blanche y Pete; en la última hora les había perdido el rastro. Tal vez estuvieran en el atestado comedor, donde la mesa de buffet estaba surtida con todo tipo de entremeses.

Se sentía extrañamente aislada: sola, apoyada contra el aparador. "Tengo que sentarme", pensó, decidida a buscar una silla cerca de la chimenea. Fue entonces cuando vio a su hija.

Catherine miraba hacia todos lados; obviamente, la estaba buscando.

Meredith agitó una mano en alto.

Cat la vio de inmediato y, después de responder a su gesto con una sonrisa, se apresuró a cruzar el salón.

—Estabas aquí, mamá. Te busqué por todas partes —dijo, corriendo hacia ella—. La fiesta es una maravilla, ¿no te parece? No sabes lo excitada que estoy. Apenas aguanto. —Se miró con admiración el anillo de zafiro que llevaba en la mano izquierda, haciéndolo destellar a la vista de Meredith. —¿No te parece divino, mamá?

—Bellísimo, querida —respondió Meredith. Y se aferró del brazo de Cat para no perder el equilibrio.

—¿Estás bien, mamá? —exclamó Cat.

—Sí.

—Pero me pareció que te tambaleabas. Y estás muy pálida. Más aún: se te nota muy tensa. ¿De veras no te pasa nada? Si te sientes bien, entonces, ¿hay algún otro problema? No me digas que estás enojada porque Margery y Eric insistieron en organizar la fiesta...

—No seas tonta. Ya sabes que no soy de ésas. Estoy un poco cansada, nada más. Exceso de trabajo en la oficina, probablemente.

—Vamos a sentarnos en aquel sofá, mamá. No sabes cómo me duelen los pies. Estos zapatos son fantásticos, pero me están matando.

Meredith se dejó llevar hasta un sofá, cerca del hogar, donde se sentó agradecida. Un momento antes había sentido que se le iban todas las fuerzas. Lo último que quería era desmayarse allí, delante de toda esa gente. Sería una humillación. Se volvió hacia Catherine, diciendo:

—Me vendría bien tomar un poco de agua. ¿Quieres traerme un vaso, por favor?

—Por supuesto, mamá. Vuelvo en un minuto.

Catherine le dedicó una sonrisa tranquilizadora y se deslizó hacia el gran vestíbulo de entrada, donde se había instalado el bar.

"Nadie diría que los pies la están matando", pensó Meredith, mientras la veía flotar por el salón como si caminara en el aire.

Esa noche estaba hermosa y muy elegante, con su vestido corto de tafetán azul medianoche, las perlas de Amelia y el pelo castaño en un corte elegante; parecía muy joven y fresca, con su cara franca y los ojos separados, muy azules. Cat era tan alta como Meredith, de piernas largas y torneadas. "No me explico para qué quiere usar tacos de doce centímetros", pensó Meredith, desconcertada. Luego se reclinó en el sofá, tratando de relajarse.

De pronto apareció su hijo, abriéndose paso por entre el gentío. Ella lo vio acercarse rápidamente, alto, delgado, rubio, ojos verdes. Cat se parecía a su padre, mientras que Jon había salido a ella.

Al acercarse fue evidente su expresión preocupada.

—¿Qué pasa, mamá? —preguntó, deteniéndose a su lado—. Acabo de encontrarme con Cat, que te traía un vaso de agua. Dice que no te ve bien. ¿Estás descompuesta?

—No, Jon —respondió con voz firme—. De veras, querido. Hace un rato me sentí algo extraña. Debe de ser cansancio.

—Trabajas demasiado —observó él, inclinando hacia ella el cuerpo largo y flaco para apoyar la mano en el brazo del sofá. Luego bajó la voz. —Si quieres retirarte, me iré contigo. No me molestaría salir de aquí.

—Estoy bien —aseguró ella de inmediato—. Y estaría mal que nos fuéramos. Sería mala educación. Además, no podemos abandonar a Cat entre todos estos Pearson.

—Tiene a Keith para que la proteja. Además, ella también será una Pearson, dentro de poco.

Meredith lo miró con atención, arrugando la frente.

—¿No te estás divirtiendo, Jon?

—Sí, claro, pero... —Se encogió de hombros. —Sólo he venido por Cat y por ti, mamá. No tengo mucho en común con esta gente.

—Ah... —Ella se echó hacia atrás para observarlo. —¿Estás tratando de decirme algo?

Jonathan sacudió la cabeza con una gran sonrisa.

—No, en absoluto. No me interpretes mal: me gusta Keith. Me parece un tipo formidable y es el hombre perfecto para Cat. Pero no tengo mucho que ver con sus amigos. Mi grupo es otro, nada más. —Miró directamente a su madre, con una mueca. —Los Pearson son una buena familia, sólo que demasiado sociables para mí.

—Lo sé —murmuró Meredith—. Y te agradezco que hayas venido... por mí y por Cat.

—Puedes contar conmigo, mamá. Lástima que Luc no esté aquí, para animar un poco el ambiente.

Meredith se echó a reír.

—Aquí viene Cat.

—Con Keith pisándole los talones —agregó Jon, irguiendo la espalda para mirar a su hermana que se acercaba.

—Aquí tienes el agua, mamá. —Después de entregarle el vaso, Cat se sentó en el sofá, a su lado.

—Gracias, querida.

—Lamento que no se sienta bien, Meredith —comentó Keith, inclinándose hacia ella, tal como lo había hecho Jon un momento antes—. ¿Puedo traerle alguna otra cosa?

Meredith contempló esa cara pecosa y apreció la honradez de sus ojos grises.

—Gracias, querido, pero ya me siento mucho mejor.

Le sonrió con calidez. El joven le gustaba y sabía que iba a ser un buen marido. Con Keith Pearson, Cat estaría a salvo; era leal y afectuoso. Carraspeó.

—Ustedes tres me están haciendo sentir inválida.

—No es ésa nuestra intención. Simplemente, nos preocupamos por usted —replicó Keith con una sonrisa.

—Eres muy gentil, Keith.

—¿Vendrá después a cenar, como estaba planeado, verdad? —inquirió él—. No quiero presionarla, pero la comida no sería lo mismo sin usted.

—No me la voy a perder —le aseguró Meredith, dándole palmaditas tranquilizadoras en la mano—. Aquí tengo a Jon, que se encargará de cuidarme.

—Keith tiene razón, mamá. Mi cena de compromiso se vendría abajo si no estuvieras tú —concordó Catherine.

—Allí estaré. —Meredith sonrió con amor a su hija.

La chica le devolvió la sonrisa y alzó la mano izquierda para ajustarse el aro de perlas que estaba flojo. El zafiro centelleó a la luz de las lámparas.

"Es del color de sus ojos —pensó Meredith—. Los ojos de Jack."

—Eres buena compañía, mamá —comentó Jonathan, varias horas después, mientras colgaba el abrigo de Meredith en el armario del vestíbulo.

—Fue una cena encantadora. Los Pearson fueron muy generosos al reservar el salón privado de La Grenouille. Pero son un poco...

—Abrumadores —completó él, meneando la cabeza—. ¡Por Dios, cuántos Pearson hay, mamá! Mi hermana ha de ser muy valiente para vérselas con semejante clan. Yo no me animaría, te lo aseguro.

—Te comprendo, pero individualmente son muy simpáticos, en realidad. Y los padres de Keith son encantadores, Jon.

—Cierto. Pero ¡qué alboroto arman las hermanas!

—El problema, querido, es que nosotros estamos acostumbrados a una vida familiar mucho más tranquila. Después de todo, hace muchos años que somos sólo tres.

—Gracias a Dios —respondió él, mientras colgaba su abrigo—. En mi opinión mereces una medalla por haber sobrellevado así toda la cena, con tantos brindis. Para volverse loco.

Meredith se echó a reír.

—Sí, fue un poco excesivo. Pero empecé a sentirme mejor en cuanto salimos del apartamento y respiré el aire fresco. Además, me gusta la comida de La Grenouille.

—No comiste gran cosa.

Ella le sonrió.

—Tomaría una taza de té, Jon. ¿Y tú?

—Buena idea.

El muchacho siguió a su madre hasta la cocina, llenó el hervidor de agua y encendió la hornalla. Luego echó un vistazo por la ventana. Las luces del puente, en la calle Cincuenta y nueve, titilaban contra el cielo oscuro. Más allá se veía otro puente centelleando a la distancia. ¡Hermosa ciudad! Siempre le había gustado Manhattan. Jonathan contempló el río, allá abajo, y la isla Roosevelt. Era curioso que su madre quisiera vivir siempre cerca del agua; en realidad, parecía necesitarlo. Ése era el segundo departamento que compraba en Sutton Place; a Jon le gustaba más que el otro. Vivían en el último piso y la vista de Manhattan era espectacular.

—¿Cuándo vuelves a New Haven? —preguntó Meredith, poniendo dos tazas con sus platillos en una bandeja.

—Mañana por la mañana, temprano. Llegaré en menos de dos horas. Los caminos no son tan malos. A propósito, ¿te ha dicho Cat cuándo piensa casarse?

Meredith asintió.

—Este año. No quieren esperar mucho, según me dijo. Le sugerí que sea en septiembre. Es una época muy bonita en Silver Lake.

—A principios de octubre es aún mejor, mamá, cuando caen las hojas. Creo que una boda de otoño sería pintoresca.

—Tienes razón. Justamente el otro día se lo sugerí. Cat me dará la fecha en algún momento de la semana próxima, para que podamos hacer imprimir las invitaciones y trazar planes.

—Tía Blanche está entusiasmada con la recepción —comentó Jon, riendo—. Hace semanas que se dedica a planearla. Mentalmente, claro. Esta noche me dijo que quiere superar la fiesta de tu boda, en la que al parecer participó.

—Mucho. La verdad es que ella misma planificó todo. Tiene mucho talento para ese tipo de cosas. Prepara el té, Jon, que el agua ya está caliente.

—Bueno. ¿Por qué no vas a sentarte en la biblioteca? Yo llevaré la bandeja.

—Gracias, querido.

Siguiendo la sugerencia del muchacho, Meredith cruzó el vestíbulo hacia la biblioteca, desde donde se veía al agua. Se acercó a una de las ventanas para contemplarla. Una gran barcaza pasaba con su carga, sin duda rumbo a las dársenas. No se cansaba de mirar el río, tan transitado que siempre se veía pasar alguna embarcación.

Pensando en Catherine, se apartó de la ventana y fue a sentarse junto al fuego. Organizaría la mejor de las fiestas de boda, para que ella...

Jon interrumpió sus pensamientos.

—¿Dónde pongo la bandeja, mamá? Supongo que ahí, a tu lado.

—Sí, en esta mesa ratona.

Meredith apartó una pila de libros artísticos para hacer sitio. Sirvió el té y ambos lo sorbieron en silencio por algunos minutos. De pronto Jon preguntó:

—¿Lo de Luc va a ser permanente?

Ella, sobresaltada, lo miró con la boca abierta.

—Si vas a casarte con él, quiero decir —aclaró Jon.

—No me lo ha pedido —dijo Meredith.

—Pero si lo hiciera, ¿aceptarías?

—Francamente, no sé.

—¿Por qué?

—¿Por qué no sé? ¿Es eso lo que preguntas?

—Sí.

Meredith se encogió de hombros.

—No sé, eso es todo. Sería un paso muy grande. Tendría que reorganizar mi vida por completo.

—¿Y qué? Me parece que deberías casarte con él.

—¿Ah, sí? —enarcó una ceja con sorpresa.

—Claro. Estás enamorada de él y él de ti. Estoy segura de que te lo propondría, si le dieras una pequeña oportunidad.

Meredith no dijo nada.

—Estás acostumbrada a tenernos siempre contigo, mamá. Los Tres Mosqueteros, ¿te acuerdas? Así decías siempre. Pero ahora Cat va a casarse; pronto tendrá una vida nueva, una familia propia. Y supongo que yo también me casaré cuando encuentre a la mujer adecuada. No quiero que algún día te encuentres completamente sola.

Ella lo miró, conmovida por sus palabras. Pero unió las cejas en una arruga.

—Te preocupas por mi vejez, ¿no es así, Jon?

Él meneó la cabeza, riendo.

—Tú jamás serás vieja, mamá. Serás hermosa para siempre. Nunca en mi vida conocí a una mujer de cuarenta y cuatro años que tuviera tu pinta.

—Y conoces a tantas... —contraatacó ella, riendo también.

Jonathan, más serio, continuó:

—Lo que no quiero es que más adelante te quedes sola. —Carraspeó, clavándole una mirada penetrante. —Cuando era chico te oía... llorar, mamá. Por la noche, en tu dormitorio, sollozabas como si se te partiera el corazón. Yo solía acercarme a tu puerta para escuchar, sufriendo por ti. Pero nunca me atreví a entrar, aunque habría querido consolarte.

—Podrías haberlo hecho —murmuró ella, conmovida.

—Tenía miedo. En aquellos tiempos solías ser feroz. ¿No te acuerdas? Una vez, siendo algo mayor, te pregunté por qué llorabas por la noche.

—Sí, vagamente.

—¿Recuerdas lo que me dijiste?

Meredith meneó la cabeza.

—Me dijiste que llorabas porque habías perdido a alguien cuando eras niña. Cuando te pregunté a quién, apartaste la cara sin responderme.

La madre lo miró, enmudecida.

—¿A quién perdiste, mamá? Siempre me lo he preguntado.

—No sé —replicó ella, después de una pausa larga y reflexiva—. Si lo supiera te lo diría, Jon. De veras.

Su hijo se acercó para sentarse junto a ella y le tomó la mano, mirándola de frente, con expresión afectuosa.

—Me rompía el corazón oírte llorar —dijo lentamente—. Quería ayudarte, pero ignoraba cómo. Siempre me ha preocupado que lloraras así.

—Oh, Jon...

—Por eso Luc me parece tan importante. Lo quiero para ti, mamá. Es un tipo estupendo y te ama. Quizás él pueda compensarte por... todo lo que te hace sufrir.

Meredith despertó durante la noche.

Se puso un salto de cama y fue a la biblioteca. En una consola había una bandeja con bebidas. Se sirvió un poco de coñac con soda y llevó la copa a un sillón. Una vez cómodamente sentada, tomó un sorbo.

Había descubierto que, cuando despertaba de ese modo, era mucho mejor levantarse. Resultaba más fácil pensar en lo que la estaba atribulando sentada en un sillón y no tendida en la cama.

Dejó la copa en la mesa ratona para relajarse contra el respaldo, pensando en las palabras de su hijo.

Jon la había tomado por sorpresa, pero también la había conmovido con sus palabras y su interés. Meredith no quería que se preocupara por ella, pero resultaba gratificante, en cierto modo. Su hijo se interesaba por su bienestar, y eso era importante.

Había tratado de criar a sus hijos, esforzándose por hacer siempre lo que más los beneficiara, y creía haber tenido éxito. Catherine y Jonathan eran buenas personas, con los valores correctos. Estaban bien adaptados y eran jóvenes normales, gracias a Dios, nunca se habían dejado tentar por las drogas ni cometían excesos. Como madre había tenido suerte.

La sorprendía que Jonathan supiera que ella solía llorar por la noche, cuando creía a sus hijos profundamente dormidos. Lo extraño es que ella no recordaba haberle dicho nunca que lloraba por alguien perdido. Sin embargo él no mentía. No tenía motivos para mentir. Era ella quien había olvidado lo que le dijera, tantos años atrás. ¿Y a quién se había referido? No tenía idea; aquello la desconcertaba por completo.

Suspirando para sus adentros, Meredith terminó la bebida y se levantó para volver al dormitorio. Tal vez ahora pudiera dormir. Lo intentaría, por cierto. La esperaba un día ajetreado. Después de quitarse la bata, se acostó. Casi inmediatamente cayó en un sueño profundo.

Había muchos niños, varones y mujeres. Algunos eran muy pequeños, de tres o cuatro años. Otros, mayores, de siete y ocho. Todos caminaban a través de un vasto paisaje. Algunos iban de la mano, varones con niñas o niñas entre sí. Muchos caminaban solos. Demasiados niños —pensó ella, invadida por el miedo—. Jamás podré encontrar otra vez a esa pequeña. Ni al niño. Los he perdido. ¿Dónde están? Tienen que estar entre estos niños. Debo buscarlos.

Corrió entre ellos, frenética, mientras ellos caminaban ajustando perfectamente el paso hacia el horizonte lejano. Los miraba a la cara. No los conocía. Marchaban por la llanura resquebrajada y reseca como si fueran autómatas, con la mirada fija hacia adelante, sin prestarle atención. Tenían los ojos vacíos y sin vida.

¿Adónde van?, gritó ella. ¿Hacia dónde se dirigen? Nadie le respondió. ¿Los han visto? A la niña de la bufanda a rayas, al niño de la gorra. Por favor, díganme si los han visto.

Los niños giraron en masa, virando hacia la derecha, y se desviaron hacia el mar. Ella nunca había visto el mar. El agua era negra, del color del petróleo. Estremecida, llamó a los niños para que regresaran. Ellos no le prestaron atención. Temblaba de miedo. Ellos continuaron la marcha. ¡No!, les gritó. ¡Deténganse! Seguían sin escucharla, caminando. Entraron directamente en el mar. Se hundieron lentamente hasta desaparecer de la vista. Oh, Dios, ¡no!, exclamó ella. Pero nadie la oyó.

El paisaje estaba desierto. Sólo quedaba ella. De

pronto los vio. Se acercaban tomados de la mano, la pequeña de la bufanda y el niño de la gorra escolar. Ella agitó la mano. Ellos respondieron al gesto. Echó a correr. Se acercaba más y más. Los rótulos prendidos a sus abrigos eran enormes, más grandes que antes. Aleteaban al viento, golpeándoles el cuello, ocultándoles la cara. De pronto giraron en redondo, hacia la derecha, y echaron a andar hacia el mar. ¡No!, gritó ella. ¡No, deténganse! ¡No vayan! No la escuchaban. Corrió y corrió. Partes del árido paisaje se abrían quebrándose por la mitad. Ella saltó por sobre las grietas y continuó corriendo. Jadeaba. Por fin alcanzó a los niños. Alargó la mano y sujetó al varón por el hombro. Él se resistía. Luego, lentamente, se volvió. Ella dio un grito: no tenía cara. Sujetó a la niña por un brazo. La niña giró. Meredith volvió a gritar.

—Mamá, ¿qué te pasa? —exclamó Jon, irrumpiendo en su habitación. Después de encender la luz, corrió hacia la cama.

Meredith estaba incorporada, con los ojos dilatados por el miedo, húmedos de transpiración la cara y el cuello. Meneó la cabeza.

El hijo se sentó en la cama, mirándola con fijeza, y le tomó la mano en un intento por reconfortarla.

—¿Qué te pasa, mamá?

Ella aspiró hondo.

—Tuve un sueño extraño. Una pesadilla, en realidad.

—Debes de haberte asustado. Te oí gritar.

191

—Sí, puede ser. Discúlpame por despertarte, Jon.

—No importa. —Él frunció el entrecejo. —¿Qué pasaba en la pesadilla?

—No tiene sentido. Era muy confusa. —Meredith se obligó a sonreír, con la esperanza de tranquilizarlo. —Olvidémosla. Estoy bien, de veras. Vuelve a la cama, querido.

Jonathan se inclinó hacia ella para darle un beso en la mejilla.

—Si me necesitas, estoy al otro lado del pasillo.

—Estoy bien —le aseguró ella.

Mucho después de que Jonathan hubiera vuelto a su cuarto, Meredith seguía despierta, recordando el sueño en todos sus detalles, reflexionando.

Era el mismo que había tenido por primera vez muchos años atrás, siendo jovencita, cuando aún vivía en Sydney. A lo largo de los años se había repetido varias veces, pero cesó de repente cuando ella estaba en la treintena. Inesperadamente volvía a aparecer: dos veces en el curso de un par de meses.

Los detalles eran siempre los mismos. El paisaje yermo, siniestro y desolado. Los niños que marchaban hacia su aniquilación en el mar. La desesperación con que ella trataba de hallar a la niñita y al varón.

Siempre despertaba cubierta de sudor frío. Siempre asustada. ¿Por qué? ¿Qué significaba el sueño?

17 ~~~~

—¿Cuántos ataques de éstos ha tenido? —preguntó la doctora Jennifer Pollard, estudiando a Meredith por encima del escritorio.

—Dos en enero, dos en febrero, tres en marzo y dos este mes: el jueves pasado, en la fiesta de compromiso de Catherine, y el domingo otra vez. Ese último ha sido el peor: duró casi todo el día y me sentí más debilitada que de costumbre. Tanto que ayer no fui a la oficina. Esta mañana, cuando fui a trabajar, aún me sentía muy cansada. Me pareció mejor venir a verla.

—Me alegro —dijo la médica—. Por teléfono usted me dijo que los síntomas eran siempre los mismos: náusea y sensación de total agotamiento. ¿No tiene otros síntomas, Meredith?

—No, ninguno.

—¿Vómitos, fiebre, dolores de estómago, diarrea, dolores de cabeza, migrañas?

Meredith sacudió la cabeza.

—No, nada de eso. Sólo tengo el estómago algo revuelto y, sobre todo, mucho cansancio, un verdadero agotamiento.

—Ajá. —Jennifer se llevó la mano al mentón, pensativa.

—¿Qué puede ser, doctora? —inquirió Meredith mirándola con atención.

—No estoy segura. Primero debo hacerle un examen muy completo, para poder diagnosticar correctamente. —Mientras hablaba, abrió la carpeta que tenía ante sí y echó un vistazo a la primera página. —Antes de que usted llegara estuve mirando su historia clínica. Hicimos un chequeo hace tres meses, a fines de diciembre, y usted estaba completamente sana, Meredith.

—Lo sé. Por eso estoy tan desconcertada.

—No se preocupe. Ya llegaremos al fondo de este asunto. —Jenifer cerró la carpeta. —Muy bien, comencemos por los análisis.

Se levantó para rodear el escritorio. Meredith también se puso de pie.

La doctora Pollard le rodeó los hombros con un brazo.

—No se asuste. Ya descubriremos a qué se debe esto.

—Pero ¿qué podría ser?

—Podría haber muchas causas —respondió, vacilando—. No quiero adivinar. Tampoco voy a fingir que no tiene importancia, Meredith. Usted es una persona muy inteligente y, de cualquier modo, no es ésa mi manera de tratar a los pacientes. Soy partidaria de la franqueza. El tipo de agotamiento que usted describe puede originarse en muchas cosas: anemia, una alteración hormonal o algún tipo de infección crónica. Pero también podría ser cansancio por simple exceso de trabajo.

—¡No, no es posible! —exclamó Meredith—. Por lo general me siento llena de energía y vitalidad.

—Vamos a ver a Ángela —dijo Jennifer, guiándola por el corredor—. Después de tantos años, usted ya sabe cuál es la rutina. Ángela le tomará muestras de sangre y le hará un electrocardiograma y una radiografía de tórax. También necesitaremos una muestra de orina. Una vez que tengamos el resultado de estos análisis, le haré un examen físico completo.

Le abrió la puerta del pequeño consultorio, agregando:

—Le enviaré una bata con Ángela, para que pueda desvestirse.

—Gracias.

Una hora después, Meredith estaba de nuevo vestida y sentada en la oficina, mirando a Jennifer Pollard con expresión preocupada e interrogativa.

—Bueno, ¿qué descubrió?

—Nada. —Jennier le sonrió. —Hasta donde yo puedo afirmarlo, usted está físicamente sana. No tiene bultos ni hinchazones; tampoco le duele el abdomen cuando aplico presión. Sus reflejos y su presión arterial son normales. De todas maneras, hay que esperar un par de días, hasta tener los resultados de los análisis. Pero estoy casi segura de que también van a ser normales. Me parece que su salud es tan buena como hace tres meses.

—Entonces ¿cómo se explican esos ataques?

—No estoy segura. —Jennifer se reclinó en la silla, sin apartar los ojos de ella. —¿Nervios, tal vez? ¿Tensiones? Usted se exige mucho. Desde que la conozco, y ya van diez años largos, usted ha sido una adicta al trabajo. Y las tensiones pueden causar desastres en el sistema nervioso.

—Comprendo, pero no me siento tensa ni agotada en absoluto. De veras, Jennifer. En los últimos tiempos me he tomado las cosas con mucha más calma, sobre todo cuando voy a Francia. Allá estoy remodelando una hostería, pero mi socia francesa es excelente y carga con gran parte del trabajo. Además, paso largos fines de semana en el Loira, con mi novio, que tiene una casa de campo allí. —Meredith concluyó, inclinándose hacia adelante: —En lo personal, nunca he sido tan feliz. Los negocios andan bien y los chicos son estupendos.

—Me alegro de saberlo. —Una expresión reflexiva titiló en los ojos de Jennifer. Un momento después preguntó: —¿Hay algo que la esté preocupando?

—No. Como acabo de decirle, mi vida nunca ha sido mejor.

La doctora asintió.

—Veremos qué dicen los análisis. La llamaré en cuanto tenga los resultados. El jueves, probablemente; a más tardar, el viernes.

A última hora del jueves, mientras Meredith firmaba unas cartas, sonó el teléfono privado de su oficina. Levantó el auricular.

—¿Hola?

—*C'est moi, chérie.*

—¡Luc! ¿Cómo estás, querido?

—No muy bien, me temo.

—¿Qué te pasa? —preguntó ella, alzando un poco la voz con evidente preocupación.

Luc suspiró.

—Lo siento muchísimo, Meredith, pero este fin de semana no podré ir a Nueva York. Estoy varado aquí, en Lyon, por culpa del trabajo. Me necesitan aquí.

—¡Oh, Luc, qué pena! Tenía tantas ganas de verte... —exclamó ella—. Es una gran desilusión, querido, pero comprendo. El trabajo está primero. —Ella también suspiró, resignada.

—Tengo que estar aquí —continuó él—. Se ha presentado un imprevisto y no puedo delegar esta parte de la obra en otra persona. Hemos tropezado con una capa de roca subterránea y hay que rediseñar los cimientos del primer edificio. Mi presencia aquí es vital. Mañana voy a reunirme con el contratista y el ingeniero. El sábado tendremos los planos reformados y la semana que viene podremos traer al equipo. —Hubo una pequeña pausa, antes de que él riera por lo bajo, diciendo: —No creo que tú puedas venir a Lyon, ¿o sí?

—Me encantaría, pero no puedo. Como te dije, mañana debo cerrar la hostería. Y el martes tengo una reunión en el banco de Nueva York. No puedo postergarla, porque el miércoles Henry Raphaelson viaja al Lejano Oriente. Tengo una semana bastante difícil, Luc. Pero me esperan en París dentro de poco, por si lo has olvidado.

—No lo olvidé, *ma chérie*, pero tenía esperanzas de verte antes.

Meredith echó un vistazo al calendario.

—Pensaba ir a finales de abril y quedarme todo el mes de mayo, ¿sabes?

—¡Bueno, qué maravilla! Me alegro mucho. Pero te echaré de menos, Meri.

—Y yo a ti.

Conversaron durante diez minutos más. Por un momento Meredith estuvo a punto de contarle lo de su visita a la doctora, pero cambió de idea. No quería preocuparlo. Demasiados problemas tenía él con ese centro comercial de Lyon.

· · ·

—Físicamente no tiene ningún problema, Meredith —dijo Jennifer Pollard, sonriente—. Me complace asegurarle que los análisis de sangre y orina resultaron normales.

Meredith le devolvió la sonrisa, llena de alivio. Luego frunció el entrecejo.

—Pero esta mañana, por teléfono, usted le dijo a Amy que necesitaba verme y hablar conmigo.

La doctora asintió.

—Así es. —Carraspeó antes de continuar. —Lo cierto es que algo anda mal. Esos ataques. Según mi experiencia, las personas afectadas por el tipo de agotamiento que usted me describió suelen sufrirlos constantemente. En otras palabras: son crónicos. Y permanentes. No van y vienen, como los suyos.

—¿Y eso qué significa?

—Significa que sus ataques bien podrían hacerse cada vez más frecuentes, hasta que el agotamiento sea más permanente que ocasional.

Meredith guardó silencio, sin apartar la vista de Jennifer.

—Permítame explicarle algo, Meredith —agregó ella—. Con mucha frecuencia, este tipo de cansancio se debe a causas psicológicas.

—¿Y usted piensa que ése es mi caso?

—Posiblemente. Podría tratarse de una fatiga psicogénica.

—¿Qué significa eso?

—Que la causa de su cansancio es un problema emocional. O que usted está deprimida sin saberlo.

—¡No estoy deprimida! —replicó Meredith, con una risa seca—. Como le dije el martes, Jennifer, mi vida marcha muy bien. Estoy enamorada de un hombre fabuloso y él me corresponde.

—Le creo y me alegro por usted. Pero no descartemos la idea de una fatiga psicogénica debida a un problema emocional o una alteración mental. La causa, lo que la está molestando, no tiene por qué ser algo actual. Podría tratarse de algo pasado.

—¿Y cómo se trata este tipo de cosas? —preguntó Meredith, nerviosa, observando a la doctora con desconfianza.

—Tenemos que determinar el carácter del problema actual y llegar hasta su raíz para tratarlo.

—Psiquiatría. ¿A eso quiere llegar, Jennifer?

—Sí, en efecto. Si usted sufre de fatiga psicogénica, le recomiendo que consulte de inmediato con un especialista. Es una enfermedad y no va a desaparecer por sí sola. Peor aún: podría hacerse crónica.

—¿Y a quién... me recomendaría? —preguntó Meredith, en voz baja.

—A la doctora Hilary Benson. Es muy comprensiva. Le gustará. Y como psiquiatra es brillante. Su consultorio está aquí a la vuelta, en la esquina de Park Avenue con la calle Sesenta y nueve.

Meredith se reclinó en la silla, preocupada.

—Usted está perfectamente sana, Meredith —agregó Jennifer con suavidad, respondiendo a la expresión de sus ojos—. Puedo asegurarlo. Escúcheme: tal vez no se trate de fatiga psicogénica, sino de estrés, como le dije la vez pasada.

—No lo creo.

—Entonces ¿irá a ver a Hilary Benson?

Meredith asintió.

18 ~

Ante todo, Meredith era una persona decidida. Una vez que aceptó consultar con la psiquiatra, pidió a Amy que solicitara turno para la semana siguiente.

Después trató de apartar el asunto de su mente; siempre había tenido la habilidad de archivar los problemas hasta que llegara el momento adecuado para resolverlos. Así logró pasar los días siguientes sin preocuparse mucho por su salud ni su estado mental. Por suerte no se produjeron más ataques.

El martes por la tarde, al entrar en la oficina particular de la doctora Hilary Benson, su primera impresión fue que la psiquiatra era una mujer bonita, pero severa. Su rostro era encantador, de pómulos altos y ojos de un azul clarísimo, casi transparente. Pero su boca tenía una línea severa y usaba el pelo oscuro recogido hacia atrás, en un rodete que le daba aspecto de preceptora.

Su aire práctico y decidido desconcertó a Meredith por una fracción de segundo, haciéndole pensar que era fría como un pez. Luego recordó las palabras de Jennifer. Le había dicho que Hilary Benson era, además de una psiquiatra brillante, una persona comprensiva.

"Debo darle una oportunidad, darme una oportunidad", decidió. Necesitaba saber qué le pasaba, por qué estaba sufriendo esos ataques regulares. Según Jennier, sólo un psiquiatra podía ayudarla a llegar hasta la raíz del problema.

Después de saludarla cordialmente y estrecharle la mano, la doctora Benson la invitó:

—Pase y siéntese, señora Stratton.

—Gracias.

Meredith la siguió hasta el escritorio y se sentaron frente a frente. Al analizarla bien parecía tener la misma edad que Jennifer y ella: algo más de cuarenta años.

La psiquiatra dijo:

—La doctora Pollard me ha puesto al corriente de su historia clínica general. Al parecer, usted es una mujer muy saludable.

—Lo soy, gracias a Dios —respondió Meredith, con una vaga sonrisa.

La doctora Benson, con un gesto de asentimiento, se respaldó en la silla para estudiarla por un momento. "Hermosa, la mujer. De las que no se dejan abatir. Pero hay dolor en ella. Se puede leer en sus ojos." Fue directamente al grano:

—Jennifer cree que usted podría padecer de fatiga psicogénica.

—Eso me ha dicho.

—Hablemos de esa fatiga, de los ataques que ha estado sufriendo. ¿Cuándo se presentó el primero, señora Stratton?

—A principios de enero, cuando estaba en París por cuestiones de negocios. Había pasado parte del día viajando y por la noche, después de inscribirme en el hotel, me sentí bastante mal. Exhausta y algo revuelta... con náuseas.

—¿De dónde llegaba?

—De Inglaterra. No es un viaje largo, en absoluto, y los

aviones no suelen afectarme. Tengo mucha resistencia y una energía tremenda, doctora Benson.

—Así que para usted no era natural sentirse descompuesta. Comprendo. —Hubo una momentánea pausa. —Ese día ¿ocurrió algo que la alterara?

Puso los codos en el escritorio y los dedos en pirámide para observar a Meredith por sobre ellos.

—No, nada. A decir verdad, supuse que estaba por engriparme. Esa mañana había pasado largo rato en la nieve y había tomado frío. Salí a pasear por una abadía en ruinas. Pensé que...

Meredith se interrumpió en seco.

—¿Qué pensó, señora Stratton? —preguntó la doctora Benson, mirándola con una sonrisa alentadora y serena.

—Que había tomado frío mientras estaba en la abadía, iba a decir. Pero ahora que lo pienso, esa mañana me sucedió algo extraño, sí. Algo muy extraño.

—¿Qué fue?

—Tuve una peculiar sensación de haber estado ya en ese lugar. Una sensación de *déjà vu*.

—Pero usted nunca había estado allí. ¿Es eso lo que quiere decirme?

—Sí, en efecto.

—¿Recuerda con exactitud qué fue lo que sintió?

Meredith hizo un gesto afirmativo.

—¿Podría contármelo, señora Stratton?

—Sí, pero permítame explicarle algo, doctora Benson. El día antes había visto esas ruinas por primera vez. Desde la ventana de una hostería, por encima de un campo nevado. Eran hermosas. Y caí en la cuenta de que me sentía atraída hacia ellas. A la mañana siguiente me encontré con un rato libre, mientras esperaba que mi socia inglesa bajara a desayunar. Para no irme por las ramas: aproveché ese rato libre para ver la abadía desde cerca. Al acercarme a las ruinas me sentí como si tiraran de mí, literalmente; no habría podido volverles la espalda aunque lo hubiera querido. Un rato después, cuando me encontré entre las ruinas, tuve la extrañísima sensación de haber estado antes allí. Era muy fuerte, abrumadora.

—¿Y usted está segura de que no conocía ese lugar?

—Oh, sí. Nunca antes había estado en la abadía de Fountains. Era mi primer viaje a Yorkshire.

—Comprendo. ¿Experimentó algo más? ¿Hubo otras emociones, esa mañana?

—En realidad, sí. Experimenté una gran sensación de pérdida. Y tristeza... —Meredith hizo una pausa. Su cara tenía una expresión reflexiva cuando agregó, en voz baja: —Tuve una sensación de verdadero pesar.

—¿Por qué? ¿Tiene alguna idea?

—Ninguna, aunque recuerdo que en ese momento tuve un destello de súbita claridad. Tuve la certeza de que allí había perdido a alguien, alguien que me era muy querido. Mejor dicho: que alguien me había sido arrebatado. Era como si yo conociera esas ruinas y percibiera que allí había sucedido algo trágico. Sin embargo, no me parecía un sitio malo. Todo lo contrario. Me sentía a gusto allí, como si fuera el lugar que me correspondía.

—¿Conoce bien a Inglaterra, señora Stratton?

—No mucho, aunque hace más de veinte años que la visito. Como le he dicho, nunca había ido a Yorkshire.

—Meredith se inclinó hacia adelante para clavar en la psiquiatra una mirada penetrante. —¿Cómo explicaría usted lo que me sucedió esa mañana?

—No creo que pueda. Por el momento, al menos.

—¿Cree que fue mi experiencia en la abadía de Fountains lo que provocó el primer ataque?

—No lo sé. —Hilary Benson meneó la cabeza. —La mente humana es una maquinaria extraña y compleja. Requiere mucho conocimiento. Por el momento, dejemos esa experiencia en la abadía para tomar otra dirección. Me dice la doctora Pollard que usted es australiana. Hábleme un poco de usted, de sus orígenes, por favor.

—Soy de Sydney. Allá me crié. Mis padres murieron en un accidente de tránsito. Cuando yo tenía diez años. Me criaron unos parientes. —Meredith se reclinó en la silla, cruzó las piernas y clavó en la psiquiatra una mirada muy serena y directa.

Hilary Benson se la sostuvo: "Su expresión es franca, pero está mintiendo. Lo sé. Lo que acaba de decirme ha sido bien ensayado. Me lo está repitiendo de memoria, como lo ha hecho incontables veces ante otras personas."

Después de una breve pausa, comentó.

—Qué triste, quedar huérfana a tan corta edad. ¿Quién la crió?

—Parientes, como acabo de decirle.

—Pero ¿quién, exactamente?

—Una tía.

—Comprendo. ¿Tenía usted hermanos?

—No. Era la única. Siempre estuve sola.

—¿Se sentía muy sola? ¿Aun teniendo una tía?

—Oh, sí, siempre fue así.

—Cuénteme cómo llegó a este país, señora Stratton.

—Con gusto. Pero preferiría que me llamara Meredith, doctora Benson.

La psiquiatra asintió.

—Cómo no. Hábleme un poco de su llegada a los Estados Unidos.

—Vine con una familia estadounidense que había estado viviendo en Sydney. Los Paulson. Trabajé para ellos como niñera desde los quince años. Cuando tenía diecisiete el señor Paulson fue nuevamente trasladado a los Estados Unidos y ellos me pidieron que los acompañara. Así vine.

—¿Y su tía no se opuso?

—Oh, no. No le importaba. Tenía cuatro hijas propias. No se interesaba por mí.

—Así que le dio permiso para viajar a los Estados Unidos con la familia Paulson. ¿Me equivoco?

Meredith negó con la cabeza.

—Me ayudó a conseguir el pasaporte. —Hizo una leve mueca. —Para ella era una alegría deshacerse de mí.

Hilary Benson frunció el entrecejo.

—¿Eso significa que ustedes no se querían mucho?

—En absoluto.

—¿Y cómo era la relación con sus padres? ¿Estrecha?

—En realidad, no.

—Pero usted era hija única. Los hijos únicos suelen tener una relación muy estrecha con los padres.

—Yo no, doctora.

La psiquiatra guardó silencio, contemplando la libreta que tenía ante sí, y tomó algunas notas. Estaba totalmente convencida de que Meredith mentía sobre su historia personal. Todo estaba demasiado bien ensayado; además, hablaba en monosílabos, como si tuviera miedo de cometer errores si agregaba detalles. O de revelar algo que deseaba esconder.

Hilary dejó la lapicera y levantó la vista con una sonrisa.

—Así que vino a Nueva York con los Paulson. ¿Alguna vez volvió a Australia?

—No, me quedé aquí. En Connecticut. Allí vivíamos, cerca de New Preston, en la zona del lago Waramaug. Pasé un año más con los Paulson, hasta que los trasladaron a Sudáfrica. Él era asesor de una agencia publicitaria internacional y siempre viajaba de un lado a otro.

—¿Y usted los acompañó?

—No. No quise ir a Johannesburgo. Me quedé en Connecticut.

—¿Sola, con apenas dieciocho años?

—Bueno, la señora Paulson me lo permitió porque yo había conseguido otro empleo. En la hostería de Silver Lake. Visitó a los Silver y le parecieron buenas personas. Ellos me ofrecían alojamiento y comida, además del sueldo, así que ella estuvo de acuerdo. Los Silver eran de una familia antigua y muy respetada en la zona.

—Así que, a la edad de dieciocho años, usted se encontró librada a sus recursos, trabajando en una hostería. ¿Cómo le sentaba eso? Lo de ser tan... tan independiente.

—Me gustaba, pero en realidad no estaba librada a mis recursos, doctora Benson. Los Silver me trataron desde un principio como si fuera de la familia. Me recibieron muy bien. Con ellos me sentía más a gusto que nunca en mi vida, en realidad.

—Si entiendo bien, la trataban como a una hija. ¿Era así, Meredith?

—Como a una hija no, porque no eran tanto mayores que yo. Antes bien como a una hermana menor.

—¿Qué edad tenían los Silver?

—Cuando empecé a trabajar con ellos, Amelia tenía treinta y seis y Jack, treinta y dos.

Hilary Benson asintió.

—¿Y qué trabajo hacía usted en la hostería?

—Comencé como recepcionista, pero desde un principio quedó entendido que ayudaría a Amelia con los papeles. Ella estaba sobrecargada y, como era paralítica, las cosas no le resultaban fáciles. Pasé a ser asistente de ella, además de recepcionista. También ayudaba mucho a Jack con la administración de la hostería.

—¿Qué pasaba con Amelia Silver? ¿Cómo había quedado paralítica?

—Por un accidente de equitación a los veinticinco años, cuando estaba recién casada. Se lesionó la columna y perdió el bebé que esperaba. Fue una gran tragedia. Pero se las arreglaba muy bien.

—Hábleme más de ella. Obviamente, usted la quería mucho.

—Oh, sí. Era una mujer notable y me enseñó muchas cosas. No sólo eso: Amelia era la mujer más hermosa que haya conocido en mi vida. Parecía Vivien Leigh en *Lo que el viento se llevó*. Eso fue lo primero que le dije: que se parecía a Vivien Leigh.

—Debe de haber sido muy hermosa, en verdad. Dice usted que ella le enseñó muchas cosas. ¿Podría explicármelo, por favor?

—Ella amaba los objetos de arte, las antigüedades y la decoración. De ella aprendí esas cosas. Pero también aprendí a ser valiente... como lo era ella. También me enseñó lo que eran la dignidad y la decencia, otras cualidades suyas.

—Es decir, le inculcó ciertos valores.

—Sí, y también Jack. De él aprendí lo que era la auténtica bondad. Él me daba aliento, me ayudaba a entender los negocios. Me enseñó mucho sobre la administración de una hostería; casi todo lo que sé, en realidad. Era un hombre muy inteligente.

—¿Había mucho trabajo en la hostería?

—Sólo en fines de semana. Los otros días había mucha tranquilidad. Silver Lake era y sigue siendo un retiro para fines de semana, durante todo el año. Pero en general la gente iba en primavera y verano, más que en el invierno. También estábamos siempre completos en el otoño, por supuesto, cuando las hojas cambiaban de color. A la gente le encantaba ir a ver el follaje. Todavía es así.

—Describe esa hostería con mucho amor en la voz, Meredith.

—Amo a Silver Lake, es cierto. Siempre la amé, desde el primer momento. Y fue mi primer hogar de verdad. Mi primer refugio seguro...

Meredith se interrumpió. Había dicho demasiado. Se movió un poco en la silla, clavando los ojos en la pintura que pendía tras la cabeza de Hilary Benson.

—Refugio seguro... ¿Antes nunca se había sentido segura, Meredith?

—Es sólo una manera de decir —esquivó ella.

—Por lo bien que habla de los Silver, es obvio que los amaba, que todavía los ama. ¿Cómo están...?

—¡Murieron los dos! —exclamó Meredith, interrumpiéndola.

—Lo lamento. Debe de haber sido una pérdida muy grande para usted.

—En efecto. Quedé destrozada.

—¿Cuándo fallecieron?

—Jack, en mil novecientos setenta y tres, cuando sólo

tenía treinta y seis años. Y Amelia lo sobrevivió poco más de un año, hasta fines del setenta y cuatro. Ella también era joven; sólo tenía cuarenta y uno.

—Qué triste para usted, perder en tan poco tiempo a dos personas tan queridas. Deben de haberla amado mucho.

—Oh, sí —confirmó Meredith con suavidad, atesorando el recuerdo—. Por eso perderlos fue un golpe tan duro. Jack fue la primera persona que me demostró afecto en toda mi vida, el primero en abrazarme y consolarme.

Hubo un breve silencio. Luego Hilary Benson preguntó con suavidad.

—¿Significa eso que había una relación sexual entre usted y Jack Silver?

—¡No he sugerido nada de eso! —le espetó Meredith, alzando la voz—, Amelia me amaba tanto como él y también me mostraba mucho afecto, pero sólo de palabra. La pobre mujer estaba en silla de ruedas. ¿Cómo iba a abrazarme?

—Comprendo —replicó quedamente la psiquiatra. Por el enojo de la paciente y su reacción exagerada, era obvio que había mantenido relaciones sexuales con Jack. Pero aún no había llegado el momento de hurgar en eso. Meredith Stratton no estaba preparada.

Meredith consultó su reloj. Eran las cuatro. Hacía casi una hora que estaba allí.

—A las cuatro y media tengo una cita en mi oficina, doctora Benson. De cualquier modo, creo que esta primera sesión ha terminado, ¿no?

—Sí, en efecto —confirmó Hilary, echando un vistazo al reloj del escritorio—. Creo que tenemos otra acordada para este jueves.

—Así es.

Meredith se levantó para estrecharle la mano. Mientras salía de la habitación interior, se preguntó si volvería.

19

Pese a sus reparos, el jueves Meredith acudió a su cita con la doctora Hilary Benson. Y aceptó tres sesiones más para la semana siguiente.

Hasta entonces la psiquiatra no había descubierto la causa de sus ataques de fatiga.

Fue en la quinta sesión, al terminar la segunda semana, cuando Meredith decidió terminar.

—No creo que estemos llegando a nada, doctora Benson —dijo lentamente—. Yo hablo sin parar y usted escucha, pero no estamos progresando ni descubrimos nada que tenga algún valor. Ni siquiera sabemos si lo que tengo es fatiga psicogénica.

—Yo creo que sí —dijo la psiquiatra, con firmeza.

—Pero no he vuelto a tener ataques.

—Lo sé, pero eso no tiene mucha importancia.

—Me gustaría que ésta fuera la última sesión.

—Creo que sería una imprudencia —respondió Hilary en voz baja, observándola con atención—. Algo la atribula, Meredith. Estoy segura. Sólo que aún no lo hemos descubierto.

—No podré volver por varias semanas. Pasaré un mes en Londres y en París.

—¿Cuándo viaja?

—El miércoles o el jueves de la semana próxima.

—¿Quiere que veamos cómo nos va hoy, Meredith?

—De acuerdo. —Aceptaba sólo porque Hilary Benson le caía bien; le inspiraba confianza y la hacía sentirse a gusto. Si no habían descubierto la raíz de su problema, ella sabía que en parte era culpa suya. Llevaba años viviendo con verdades a medias y ocultando tantas cosas que resultaba difícil desenterrar todo eso.

—No quiero medir mis palabras, Meredith —dijo Hilary—. Voy a serle franca. Sé que me está mintiendo. Sé que usted mantuvo una relación sexual con Jack Silver. Quiero que me hable de eso.

Ella quedó tan desconcertada que barbotó:

—No fue sólo sexual. Nos amábamos... —Y apartó la cara, arrepentida de esas palabras.

—No debe avergonzarse —murmuró Hilary, en tono comprensivo—. No estoy aquí para juzgarla. Sólo trato de ayudar. Hábleme. Cuénteme lo de Jack, cuénteme qué paso en la hostería de Silver Lake, en aquellos años. Sé positivamente que después se sentirá mejor. Y el hecho de contar con más información sobre su pasado me ayudará a rastrear la causa de su enfermedad.

Hubo un silencio muy largo. En vez de responder, Meredith se levantó para acercarse a la ventana. Mientras contemplaba Park Avenue, pensaba en Jack, en Amelia, en sí misma, en todo lo que había sucedido entre ellos tanto tiempo atrás. Aquello le había cambiado la vida, dándole una nueva forma. Era tanto lo que había recibido de ellos... No quería que Hilary pensara mal de Jack. Ni de ella.

Giró en redondo y volvió a sentarse frente a Hilary, con el escritorio entre ambas.

—Sí, es verdad. Manteníamos una relación sexual, pero

también nos amábamos mucho. No quise hablarle de esto porque tenía miedo de que me interpretara mal. A veces las palabras suenan muy frías. Es posible que usted no pueda entender jamás el amor, las emociones, los sentimientos que hubo entre nosotros, porque no estuvo allí. Nadie podría entender.

La miró largamente, con intensidad. Hilary asintió con la cabeza.

—Sé lo que quiere decir. Pero como acabo de decirle, no soy juez ni jurado; sólo su doctora. Y para ayudarla necesito conocer su pasado.

—¿Cree que es eso lo que me está afectando? ¿Mis amores con Jack?

—No estoy segura, Meredith. Antes de hacer una evaluación necesito enterarme de todo.

—Yo estoy segura de que no es así. De cualquier modo, le contaré lo de Jack, lo que hubo entre nosotros cuando comencé a trabajar en la hostería, en el año sesenta y nueve.

—¿Se siente cómoda? ¿No preferiría sentarse allí, en el sofá?

Ella sacudió la cabeza.

—No, aquí estoy bien. Sólo quiero decir algo como prefacio a lo de Jack. Hace un par de semanas, mi hijo recordó que, cuando era pequeño, solía oírme llorar por las noches. Y es cierto; lloraba mucho, hasta creer que no me quedaba una sola lágrima, pero siempre había más. En aquellos tiempos lloraba mucho, sobre todo por Amelia y por Jack. Los extrañaba tanto...

Hizo una pausa para carraspear. Luego continuó con suavidad:

—Jack Silver fue el amor de mi vida. Lo amé desde el día

mismo en que nos conocimos. Él también se enamoró de mí ese día. Dijo que era un *coup de foudre*. Era la primera vez que yo oía esa frase; él me explicó lo que significaba: la descarga de un rayo. Pero mantuvimos ese amor a raya por varias semanas, sin revelarnos lo que sentíamos. De pronto Amelia tuvo que viajar a Manhattan, para visitar a su madre. La anciana estaba muy enferma, posiblemente moribunda, y Jack llevó a Amelia hasta la ciudad. Aquella noche de julio, al regresar, vino a buscarme. Me encontró junto al lago, tendida en el césped, tratando de refrescarme. El calor, ese mes, era bochornoso. Dijo que necesitaba hablarme de Amelia; estaba preocupado por haberla dejado sola con su madre enferma y sólo dos criadas jóvenes para ayudar. Se preguntó en voz alta si no sería mejor llevarme al día siguiente a la ciudad, para que cuidara de Amelia. Le dije que lo haría con gusto, que haría cualquier cosa por él.

"Y de pronto, sin que ninguno de los dos supiera exactamente cómo, nos encontramos abrazados y besándonos. Yo nunca había experimentado nada parecido a esa pasión arrolladora, al deseo y el amor que sentía por él. Hasta entonces no había tenido relaciones sexuales con nadie, doctora. Jack se puso nervioso al descubrir que era virgen y me regañó por no habérselo dicho. Pero ya era demasiado tarde: ya habíamos hecho el amor.

Meredith guardó silencio por un segundo.

Hilary Benson no dijo nada; sabía que era más prudente esperar hasta que la paciente estuviera dispuesta a continuar con su relato.

Al fin Meredith continuó con suavidad:

—Y seguimos haciendo el amor, aun después de que Amelia regresó a Silver Lake. Estábamos tan enamorados que no podíamos evitarlo. Antes de que yo apareciera en escena, Jack había sufrido muchos años por esa privación. Me contó que cierta vez, en Nueva York, había visitado a una prostituta, pero que fue un fracaso, una pérdida de tiempo, pues ella no le inspiraba ningún sentimiento. A mí me amaba y amaba a Amelia; poníamos mucho cuidado. Nunca traicionamos delante de ella lo intenso de nuestros sentimientos. Jack siempre decía que Amelia no debía enterarse, que no debíamos hacerla sufrir de ningún modo. Y nunca lo hicimos.

—¿Ella no se enteró jamás? —preguntó Hilary.

Meredith no respondió. En cambio continuó con su relato.

—Hasta que dejé de menstruar y comprendí que estaba embarazada. Me aterroricé, pensando que Amelia adivinaría de quién era el bebé. Pero él me tranquilizó; me dijo que ella jamás sospecharía. Yo le creí; ¿por qué no? Lo amaba más allá de toda razón. Cuando le pregunté qué debía decir a Amelia, cómo explicarle mi embarazo, me aconsejó que inventara un novio y dijera que él era el padre. Más adelante podría decirle que mi novio me había abandonado, dejándome en la estacada. Eso es lo que hice, y Amelia me creyó.

"En realidad, doctora Benson, la hizo muy feliz enterarse de mi embarazo. Estaba en el séptimo cielo. Cuando entré en el sexto mes y me puse panzona, insistió en que me mudara al apartamento vecino a la casa de ellos, junto a la cochera. Yo dormía en el desván de la hostería y ella decidió que no me convenía subir tantas escaleras. Tenía razón. Así que todos nos instalamos juntos en la casa. Naturalmente, Jack y yo seguimos siendo tan cuidadosos como siempre delante de ella.

"Una tarde, en el octavo mes de embarazo, Amelia me preguntó si pensaba irme cuando naciera el bebé. Le dije que no pensaba hacerlo, que esperaba poder quedarme en Silver Lake, trabajando para ellos. Eso la hizo muy feliz. Recuerdo que me apoyó una manita en el vientre, sonriendo, y dijo: 'Nuestro bebé, Meri. Será nuestro bebé; lo criaremos entre todos. Aquí, todos juntos, seremos muy felices.' Y lo fuimos, ésa es la verdad. A veces, hablando con Jack, yo le preguntaba si Amelia no sospechaba que el bebé era suyo. Él siempre me aseguraba que no.

"Por fin nació Catherine, nuestra hija, la bebé más perfecta que nunca hubiéramos visto. Hermosa, con los ojos de Jack, muy azules. Tres años después, a Silver Lake llegó la tragedia. Jack murió de pronto, en un abrir y cerrar de ojos. Sufrió un ataque cardíaco mientras conversaba con Pete O'Brien en el prado frontal. Ni él ni nadie supo nunca que tuviera un problema en el corazón.

Meredith se reclinó en el asiento, con la mirada perdida en el espacio, en aquel tiempo lejano.

—¿Y qué pasó entonces? —preguntó Hilary, pasados algunos segundos—. Continúe, por favor.

—¿Qué pasó? Lo lloramos, Amelia y yo. Lo lloramos tanto... Pero yo tenía que cuidar de la bebé y administrar la hostería por Amelia. Fue mucho trabajo, pero yo era joven y fuerte; me las arreglé. Y la pobre Amelia estaba tan mal que también debía cuidar de ella. La verdad es que, tras la muerte de Jack, ya no quería seguir viviendo; hacia la primavera siguiente ya se estaba apagando. Comprendí que no pasaría mucho tiempo más en este mundo. Tuve la sensación de que se dejaba morir porque ella lo deseaba, literalmente. El corazón me pesaba cada vez más, con el correr de los meses. No soportaba perderla tan pronto, después de haber perdido a Jack. La mera idea me llenaba de miedo.

"Un día, un viernes, estábamos juntas en el vestíbulo del hotel, armando ramos de narcisos para las mesas del restaurante; Cat jugaba en los peldaños, bajo el sol de primavera. De pronto Amelia me miró de una manera muy peculiar y me dijo que había hecho testamento. 'Les dejo todo a ti y a Cat, Meri. No tengo otros herederos. Además, Catherine es una Silver. La última de los Silver, por ahora, hasta que crezca y tenga un hijo, otro Silver. Así que todo esto le pertenece, por ser hija de Jack. Tú tienes que administrárselo bien, Meri. Estoy segura de que harás lo correcto, porque eres inteligente. Si alguna vez tienes que vender la hostería, hazlo. O alquílala, si dirigirla te resulta demasiado difícil. Pero conserva la tierra; no vendas la propiedad de Silver Lake, pase lo que pase. Ya vale millones y su valor seguirá aumentando. Eso es lo que Jack querría, Meri; querría que conservaras la tierra. Hace casi doscientos años que pertenece a los Silver.' Como usted imaginará, doctora Benson, quedé estupefacta. Ella sabía que Catherine era hija de Jack.

"Cuando me recobré de la sorpresa le pregunté cómo había adivinado. Ella volvió a mirarme de ese modo extraño y dijo: '¡Pero si siempre lo supe, Meri! Desde el día en que quedaste embarazada.' Supongo que puse cara de total desconcierto, porque ella explicó: 'Me lo dijo Jack, querida.' Luego me tomó la mano con fuerza. 'Él me amaba desde la niñez, pero también te amaba a ti y te necesitaba con desesperación, Meri. Era joven y viril, lleno de pasión. Como mujer, después del accidente, yo no pude satisfacerlo. Nunca miró a otra y se mantuvo célibe por muchos años, hasta que llegaste tú. Se prendó de ti, Meri. Y cuando quedaste embarazada quiso tener ese hijo. ¡Oh, querida, cómo lo deseaba! Yo siempre acepté de buen grado la relación que tenía contigo. Estaba segura de que no me abandonaría ni me haría sufrir. Y también estaba segura de que tú seguirías siéndome leal. Amé mucho a Jack, Meri. Tanto como a ti y a la bebé. Para mí es como una hija.' Lo decía sinceramente, doctora. Amelia siempre decía la verdad.

Meredith cayó otra vez en el silencio. El recuerdo de ese día en especial aún la afectaba. Cuando por fin miró a la psiquiatra tenía los ojos brillantes de lágrimas.

—Amelia murió ese mismo año, mil novecientos setenta y cuatro. Hizo de mí una mujer rica, y de Cat, una heredera. Nos dejó absolutamente todo. Y había mucho más que la hostería y las tierras: su propia finca, la que había heredado de su madre. Dejó unos cuantos legados: para Pete O'Brien, que había manejado la finca por muchos años, para su esposa y para otras personas que trabajaban en la hostería. Pero la mayor parte de la finca Silver y de su propia herencia pasó a nosotras. Aun así, yo habría renunciado a todo eso por tener a Amelia de nuevo conmigo. La lloré por años enteros. Y aún lloro por Jack.

—Es una historia muy fuera de lo común, muy conmovedora —comentó Hilary, en voz baja y compasiva. Un momento antes había reparado en las emociones de Meredith y comprendía plenamente lo mucho que había amado a esa pareja. Estaba a punto de preguntarle si no pensaba que los Silver la habían usado como sustituta, pero de inmediato cambió de idea. En el fondo sabía que no era así. Estaba segura de que Meredith le había contado con exactitud la historia de su vida con los Silver. Sus palabras tenían el timbre de la verdad. Bien podía mentir sobre otros aspectos de su vida, pero con respecto a esos años, no.

En una consola cercana había una jarra de agua. Meredith

se levantó para servirse un vaso. Luego se volvió hacia Hilary, murmurando:

—Estoy segura de que mis ataques de fatiga no tienen nada que ver con mis años de juventud en Connecticut. Con los Silver fui muy feliz; ellos eran muy buenos conmigo.

—Lo sé —confirmó Hilary—, y creo que usted tiene razón. Los ataques no se relacionan con esa época. Así que es preciso ahondar más, retroceder más hacia el pasado. Pero no sé cuándo podremos hacerlo. A menos que usted venga a otra sesión antes de partir hacia Londres y París. Eso nos daría una ventaja, cuanto menos.

Meredith vaciló por un momento. Luego tomó una decisión.

—De acuerdo —dijo—. Vendré mañana por la tarde, si usted tiene tiempo libre.

—Permítame consultarlo con mi secretaria —respondió Hilary, mientras presionaba el botón del intercomunicador.

Esa noche Meredith volvió a soñar con su niñez.

Se había acostado temprano, después de una cena liviana. A la mañana siguiente tenía varios compromisos importantes; además, quería ordenar su escritorio antes de la sesión con Hilary Benson, por la tarde.

Se durmió profundamente; pasó la mayor parte de la noche sin soñar. Con el rayar del alba despertó sobresaltada, incorporándose en la cama, rígida. Tenía la cara, el cuello y el pecho cubiertos de sudor y se sentía muy aprensiva.

Encendió la luz para echar un vistazo al cuarto. Luego volvió a recostarse contra las almohadas. Al cabo de un momento buscó un pañuelo de papel en la mesita de luz para enjugarse el cuello y la cara; lo arrugó en la mano, ya húmedo.

Había tenido otra vez ese sueño horrible, que siempre la alarmaba. Se concentró en recordarlo.

Estaba sola en el paisaje vasto y reseco. Buscaba a la pequeña y al niño, pero no podía hallarlos. Habían desaparecido al caer por una gigantesca grieta en la superficie de la tierra. Ella los había visto caer y temía por ambos. Tenía que volver a buscarlos. Ellos sabían. Ellos conocían la solución del secreto.

Caminó y caminó, recorriendo el paisaje con la mirada. Cuando estaba por perder las esperanzas de hallarlos otra vez, aparecieron en el borde de esas planicies resecas. Ella se sintió feliz de haberlos encontrado. El niño se quitó la gorra escolar para agitarla en el aire. De pronto estuvieron juntos, los tres tomados de las manos, caminando por el vasto y árido paisaje, rumbo al lejano horizonte. Ahora ella vestía como la pequeña: un abrigo oscuro, una larga bufanda a rayas y una boina en la cabeza. Todos tenían rótulos gigantescos en los abrigos. Etiquetas de equipaje. Echó un vistazo al rótulo de la niñita. La lluvia había borroneado la escritura. No pudo leer su nombre. Tampoco el del niño. Bajó la vista hacia su propia etiqueta. Ésa también estaba borroneada. ¿Cuál era su nombre? No lo sabía.

Hacia adelante estaba el gran barco, tan enorme que se alzaba muy alto en la dársena. La pequeña tenía miedo. No quería subir a bordo y se echó a llorar. El niño lloró. Ella también. Ninguno de los tres quería subir a bordo. Las lágrimas les rodaban por las mejillas. Hacía tanto frío que se les congelaban contra la piel. Empezó a nevar.

El mar era como aceite negro. Tenían miedo, estaban aterrorizados. Cada uno se aferró a los otros, sollozando. Los sacaron del barco. Habían llegado a destino. Era el paisaje gris y árido donde nada brotaba. El cielo era muy azul; el sol, cegador. Caminaron y caminaron. Había muchísimos niños y todos caminaron hasta llegar nuevamente al mar negro. Y todos entraron en el mar. Ella se echó hacia atrás, negándose a avanzar. Trató de impedir que la niñita entrara en el mar, al encuentro de la fatalidad, pero no pudo. La pequeña se alejó de ella. El niño también. Juntos los dos, entraron en el mar. Ella trató de gritarles para que se detuvieran, pero no pudo pronunciar palabra. Estaba de nuevo sola en la planicie de barro seco. Y tenía miedo. Los niños conocían la solución del secreto. Ella no. Y ahora se habían ido. Para siempre. Por eso ella no lo sabría jamás.

Al examinar el sueño en todos sus detalles, Meredith cayó en la cuenta de que esta vez había sido diferente. Se preguntó qué significaba. No tenía idea, pero resolvió contárselo a Hilary Benson. Tal vez la psiquiatra pudiera darle una explicación.

—Hay algo que no le he contado —dijo Meredith a la doctora Benson, esa misma tarde.

Hilary la miró con atención.

—Ah, ¿y qué es, Meredith?

—Tiene que ver con mis ataques. Cuanto menos, eso creo. La cosa se inició después del segundo ataque.

—¿Qué cosa?

—El sueño. En realidad, es una pesadilla que tengo de vez en cuando desde hace muchos años.

—¿Cuántos? —perguntó Hilary, inclinándose hacia el escritorio para estudiar intensamente a su paciente.

—Desde que tengo memoria. Desde que tenía doce o trece años, tal vez menos. Dejé de soñarlo cuando llegué a Connecticut. En realidad, lo tuve sólo una vez en los primeros años, cuando comencé a trabajar en la hostería de Jack y Amelia. Se repitió un par de veces después de cumplir los veinte y una vez más hacia los treinta. Pero no había vuelto a tenerlo hasta enero de este año.

—¿Y el sueño reapareció después de un ataque de fatiga?

—Sí. Fue en el valle del Loira, donde yo estaba con un amigo. Esa tarde me descompuse de pronto y subí a descansar en mi cuarto. Estaba tan cansada que me dormí. Y tuve ese sueño. Cuando desperté me sorprendió que hubiera vuelto después de tantos años. Y también que me hiciera sentir lo mismo.

—¿Qué sentía?

—Miedo. Alarma.

—Trate de relatarme ese sueño, Meredith, por favor.

Ella hizo lo que la psiquiatra le pedía. Luego explicó que, en los últimos meses, el sueño cambiaba levemente en cada oportunidad.

—Así que anoche, en el sueño, usted se reunió por fin con esos dos niños en el paisaje árido —comentó Hilary—. ¿Hubo algo más? ¿Alguna otra diferencia?

—Sí. Aparecía ese barco... —Dejando la frase sin terminar, Meredith cerró los ojos con fuerza.

222

—¿Se siente bien? —preguntó Hilary.

—Estoy bien, sí —respondió ella, abriendo los ojos al instante—. Doctora Benson...

—¿Sí?

—¿Qué significan los sueños?

—Creo que, en general, son manifestaciones de impresiones acumuladas en el subconsciente. Pero a veces algo que nos asusta mucho puede aflorar en el sueño, cuando surge el inconsciente. Yo creo que soñamos nuestros recuerdos y también soñamos nuestros terrores, Meredith.

—¿Y qué puede significar mi pesadilla recurrente?

—No estoy segura. Sólo podemos llegar a una interpretación con el tiempo, hablando y explorando un poco más.

Meredith aspiró hondo. Inesperada, inexplicablemente, se sentía sofocada. La agitación se apoderó de ella. Necesitaba salir de allí, tomar aire. Se levantó, pero volvió a dejarse caer con brusquedad. Tuvo la sensación de que, si abría la boca, rompería en gritos. Apretó los labios, luchando por dominarse.

Hilary Benson la miraba fijamente, con el entrecejo fruncido. Luego comprendió que esa mujer, en apariencia tan serena, era presa de una agitación aguda. Retorcía las manos con nerviosismo y tenía los ojos dilatados.

—La noto muy alterada, Meredith. ¿Qué pasa?

La paciente no dijo nada; había empezado a temblar visiblemente y apretaba los brazos al cuerpo, como si quisiera abrazarse.

Hilary Benson se levantó de un salto y fue a apoyarle una mano reconfortante en el hombro.

Meredith la miró, boquiabierta y con los ojos llenos de lágrimas.

—No le he dicho la verdad... No se la dije a nadie... Nunca...

La psiquiatra se apresuró en operar el intercomunicador.

—Janice, por el momento no puedo recibir a ningún otro paciente. Por favor, déles turno para otro día. Tengo una emergencia con la señora Stratton.

Se acercó de nuevo a Meredith, que estaba doblada en la silla, meciéndose hacia atrás y hacia adelante, y la sujetó por un brazo para incorporarla por la fuerza.

—Venga al sofá, Meredith; siéntese conmigo. Va a contármelo todo. Lentamente. Tómese el tiempo que necesite. No hay prisa.

Hablaba con suavidad, comprensiva. Meredith se dejó llevar hacia el sofá.

Las dos mujeres se sentaron.

Hubo un largo silencio.

Por fin Meredith comenzó a hablar, en voz baja.

—No sé quién soy. Ni de dónde vengo. No sé quiénes fueron mis padres. Ni cuál es mi verdadero nombre. No tengo identidad. Me he inventado. Creé mis propias reglas para guiarme por ellas. No tuve a nadie que me enseñara. Nadie que me amara. Estaba completamente sola. Hasta que conocí a los Silver. Por diecisiete años fui un alma perdida. En ciertos aspectos, sigo siendo un alma perdida. Ayúdeme... Oh, Dios, ¿quién soy? ¿De dónde vengo? ¿Quién me dio la vida?

Meredith lloraba. Las lágrimas brotaban a torrentes y le caían en las manos. Sufría un tormento de desesperación y volvió a mecerse hacia adelante.

Hilary Benson la dejó llorar sin decir nada, sin hacer nada. Por fin cesaron las lágrimas. En silencio, le entregó una caja de pañuelos de papel. Luego se acercó a la consola para llenar un vaso de agua y lo llevó a su paciente.

Meredith tomó un sorbo. Un momento después dijo:

—Qué estallido. Lo lamento.

—Yo no, y usted tampoco debería lamentarlo. Debería alegrarse. Le ha hecho bien, estoy segura. Y es el primer paso hacia la curación. Cuando esté dispuesta para seguir hablando, aquí estoy para escucharla. No se apresure. El resto del día es para usted. Y también la noche, si hace falta, Meredith.

—Gracias. Sí... sí... debo contárselo...

Meredith aspiró hondo y comenzó:

—Me crié en un orfanato de Sydney. Cuando tenía ocho años fui adoptada por Gerald y Merle Stratton. Como a ella no le gustaba mi nombre, me rebautizó Meredith. No eran buenas personas. Gente fría, de corazón duro. Me trataban como a una sirvienta. Yo debía hacer todo el trabajo doméstico por la mañana temprano y por la noche, después de la escuela. Sólo tenía ocho años. No llegaban a maltratarme, pero él me pegaba sin pensarlo dos veces. Ella también era cruel y mezquina, sobre todo con la comida. Llegué a odiarlos. Quería volver al orfanato. Cuando tenía diez años, ellos murieron en un accidente de auto. Mercedes era hermana de él; no me quería y me envió de nuevo al orfanato. Allí estuve hasta los quince años. Sólo vi a Mercedes una vez más, cuando me ayudó a conseguir el pasaporte, feliz de que yo me fuera con los Paulson.

Hizo una pausa, reclinándose contra los almohadones con los ojos cerrados. Aspiró hondo varias veces para calmarse. Después de un momento abrió los ojos para mirar de frente a Hilary. Temblaba.

La psiquiatra la tomó de la mano y preguntó con suavidad:

—¿Sufrió algún abuso sexual mientras vivía con los Stratton? ¿Alguno de ellos la ultrajó?

—No, nunca hubo nada de eso. No me ultrajaron

sexualmente. Sólo me trataban con una horrible frialdad, con indiferencia, como si yo no existiera. Estaba allí sólo para servirlos; eso es lo que yo pensaba. Y sigo pensándolo. Para mí fue un alivio que murieran. Nunca me demostraron una pizca de afecto. Yo siempre había pensado que, cuando me adoptaran, por fin alguien me amaría. Pero no fue así.

Una expresión dolorida le cruzó la cara, ensombreciéndole los ojos. Cuando volvió a hablar, la pena teñía su voz.

—No sé cómo explicarle el horror de vivir en un orfanato. Nadie se preocupa por una. Nadie te toca, nadie te abraza, no hay una sola muestra de amor. Jamás supe por qué estaba allí. Eso me preocupaba mucho. Pensaba que mis padres me habían internado porque me portaba mal. No comprendía. Sólo quería averiguar quiénes eran mis padres. Jamás lo supe. Nadie me dijo nada. No se me respondió a una sola pregunta.

—¿Cuál es su recuerdo más remoto, Meredith? Cierre los ojos, relájese, trate de retroceder en el tiempo, trate de concentrarse en sus años más tiernos. ¿Qué ve? ¿Qué recuerda?

Meredith tardó un momento en decir, en voz baja:

—Veo un río. Pero eso es todo. —Abrió los ojos. —Tal vez por eso me gusta vivir cerca del agua.

—¿Qué edad tenía cuando la llevaron al orfanato?

—No sé, doctora Benson. Siempre estuve allí.

—¿Desde que era bebé?

—Sí. No. Creo que no. En mi pesadilla de anoche había un barco. Cuando era muy pequeña solía recordar que había estado en un barco.

—¿Se refiere a un buque o a un bote? Hay diferencias.

Meredith volvió a cerrar los ojos, empujando la memoria hacia la niñez. Se vio; vio niños que subían por una planchada.

Ella iba en el grupo. Vio marineros, vio muelles. Un mástil con la bandera británica.

Se irguió, con los ojos abiertos, y miró apasionadamente a Hilary.

—Me refiero a un buque. Un buque oceánico. Un buque británico, de bandera británica. Debo de haber estado en un barco, tal vez con otros niños. Eso puede explicar que mis sueños estén siempre llenos de niños.

—Es posible. Trate de pensar, por favor. Haga memoria. ¿Es posible que haya nacido en Inglaterra y que la hayan llevado a Australia siendo muy pequeña?

—Puede ser. Pero ¿por qué no recuerdo nada de eso? ¿Por qué no guardo recuerdo de esos años?

—Se llama memoria reprimida, Meredith. Creo que, cuando usted era pequeña, le sucedió algo terrible, provocando un trauma profundo que la llevó a la memoria reprimida. De hecho, estoy bastante segura de que eso es lo que la está afectando, la causa de sus ataques. Fatiga psicogénica.

—Pero ¿por qué ahora? ¿Por qué no tuve esos ataques hace años?

—Porque el recuerdo permanecía sepultado. Así lo quería usted, para poder funcionar. Ahora algo lo ha despertado. La memoria reprimida está tratando de aflorar.

—¿Y qué puede haberlo despertado?

—No puedo asegurarlo, pero creo que fue su visita a la abadía de Fountains.

—¿Usted cree que estuve antes allí?

—Es posible. Muy posible. Eso explicaría muchas cosas.

—¿Existe alguna manera de que usted pueda despertar esa memoria reprimida, doctora Benson?

—En realidad, eso sólo puede hacerlo usted, si se esfuerza

por volver a los primeros años de su vida. La semana que viene estará en Inglaterra. Puede que, estando allí, alguna otra cosa dé una buena sacudida a su memoria. Mientras tanto hablemos un poco más de sus años en el orfanato.

Meredith se estremeció violentamente, y le dirigió una mirada de espanto.

—No es justo que un niño se vea obligado a vivir así —exclamó, encolerizada—. Pero le diré más, si usted quiere.

—Sí. Comprendo que para usted es muy doloroso, pero bien podría darme más claves, algo más en que apoyarme, Meredith.

Esa noche, más tarde, telefoneó a Luc. Ya no soportaba ocultarle el secreto de su pasado. Además, necesitaba confesar, compartir y, a su vez, recibir su consuelo.

20

Catherine Stratton se apoyó en el respaldo para estudiar la ilustración que tenía en el tablero de dibujo, evaluando su obra con la cabeza hacia un lado y los ojos entornados.

La acuarela mostraba a un niñito que dormía acurrucado en la cuna, con una mano bajo la mejilla. Sonrió para sí; le gustaba por su inocencia y su encanto. Era prefecto para el último poema del libro de versos infantiles que había estado ilustrando en las últimas semanas. Por fin estaba listo para entregarlo a los editores.

"Un trabajo bien hecho", pensó, tomando una lapicera de pluma fina para firmar: Cat. Siempre firmaba sus obras con su diminutivo, que en los últimos tiempos empezaba a hacerse conocido.

Se levantó del taburete y estiró los brazos por sobre la cabeza; después de algunos ejercicios de elongación, cruzó el estudio hacia el ambiente principal, rumbo a la cocina.

Ésta era amplia; estaba decorada en un esquema cromático azul y blanco y equipada con los artefactos más modernos: el lugar perfecto para una cocinera responsable como ella. A Catherine le gustaba cocinar y había aprendido siendo niña, con su madre y con Blanche O'Brien, que era como una tía favorita.

Se lavó las manos en la pileta, ante la ventana que ofrecía una visión inigualable de los edificios Chrysler y Empire State. Esa tarde los rascacielos lanzaban destellos contra el cielo azul de abril; Catherine pensó que nunca los había visto tan hermosos como en ese encantador día de primavera. Salvo de noche, cuando estaban completamente iluminados y recortaban sus chapiteles centelleantes contra el cielo oscuro. Para ella eran la característica de Manhattan.

Puso agua a hervir, preparó tazas y platillos y, después de sacar varias cosas de la heladera, empezó a prerarar una variedad de pequeños sándwiches.

Catherine y su madre habían diseñado ese *loft* de Soho. En un extremo estaba su estudio, con grandes ventanas; la zona del comedor próxima a la cocina y, más allá, había un gran espacio decorado como biblioteca. A la derecha había dos dormitorios, cada uno con su propio baño.

Era un departamento amplio, dividido con inteligencia para aprovechar el espacio y la luz. La sensación de amplitud y luminosidad que brindaba no se debía sólo al tamaño y a la abundancia de ventanas, sino a los colores claros que se habían utilizado.

Ese *loft* había sido un regalo de su madre para festejar su mayoría de edad, cuatro años antes. "Pero también te lo regalan Jack y Amelia, aunque ya no estén —le había dicho—. Te lo compré con dinero de su herencia."

Fue entonces cuando Meredith le explicó lo del testamento de Amelia y la cuantiosa herencia que ahora le pertenecía, junto con la hostería de Silver Lake Inn, la casa en la que había crecido y todas las tierras de los Silver: sesenta hectáreas. Desde la muerte de Amelia, todo eso formaba un fondo en fideicomiso administrado por su madre, que había incrementado su valor invirtiendo sagazmente el dinero. Ese día, Catherine comprendió de pronto que era una joven muy afortunada.

Sabía desde siempre que Jack Silver era su padre. Meredith se lo dijo en cuanto tuvo edad suficiente para comprender. Apenas lo recordaba; la misma Amelia era una figura borrosa en su mente. Su madre había sido siempre la persona principal de su vida y ella la adoraba.

Catherine nunca había juzgado las relaciones entre Meredith y Jack. Era demasiado inteligente para hacerlo y lo bastante madura como para comprender que nadie sabía jamás, con exactitud, lo que sucedía entre dos personas. Tres, en este caso, pues era obvio que Amelia había aceptado o, cuanto menos, hecho la vista gorda ante ese vínculo.

Cierta vez interrogó a Blanche O'Brien, pero ésta le dijo que no debía malgastar el tiempo pensando en cosas viejas. "Nadie se perjudicó, todo el mundo era feliz, los tres se amaban y tú viniste a completarles la vida. Te adoraban. Amelia era como una segunda madre para ti."

A veces tenía sus dudas en cuanto al pasado de su madre. Comprendía muchas cosas, aunque Meredith siempre había sido elusiva en cuanto a sus primeros años en Australia, como si sólo hubiera comenzado a vivir con su llegada a Connecticut.

Por frases sueltas dichas a lo largo de los años, Catherine sabía que la niñez de su madre había sido horrible: triste, sin amor, sin la más pequeña muestra de afecto. Si los amaba, a Jon y a ella, con una devoción furiosa y total, por sobre todas las cosas, bien podía ser por la carencia afectiva que había soportado en la infancia. Era como si estuviera decidida a brindar a sus hijos todo aquello que ella nunca había tenido y muchísimo más.

Meredith siempre había sido una madre maravillosa, quizás en detrimento de sus relaciones con David Layton, el padre de Jon. Cat y Jon estaban siempre ante todo; tal vez él se había cansado, resentido por ocupar siempre el segundo lugar en su vida y en su afecto. Al cabo de cuatro años, el matrimonio naufragó y David, que ejercía la abogacía en zonas rurales, se mudó de inmediato a la Costa Oeste. Para gran asombro de todos, se convirtió en un requerido abogado del mundo del espectáculo, con unas cuantas estrellas famosas por clientes. Ellos nunca lo habían vuelto a ver; durante el primer año tenían noticias suyas sólo de vez en cuando; después, nada. Ni a ella ni a su hermano les molestaba. Jon siempre había preferido a su madre y, en realidad, David Layton no había sido gran cosa como padre ni como padrastro.

Meredith era la mejor amiga de Cat. No sólo le había brindado mucho amor y apoyo, sino que también la alentaba a ir tras sus sueños y a cumplir con sus ambiciones. De hecho, había sido un factor decisivo en ese aspecto. Y lo mismo hacía con Jon: siempre estaba disponible para darle un consejo cuando él lo pedía, para incentivarlo y festejar sus triunfos. Había sido madre y padre para los dos.

Ambos estaban encantados con la relación que mantenía con Luc de Montboucher. Le habían tomado afecto inmediatamente y la alentaban a continuar con él, pues les parecía el compañero perfecto. Jon estaba convencido de que acabarían por casarse. Ojalá fuera así. Catherine quería, sobre todo, ver a su madre en una relación feliz, sobre todo ahora que ella iba a casarse. No le gustaba la idea de que Meredith se quedara sola; ya era hora de que disfrutara de alguna felicidad.

El hecho de que Luc hubiera venido varias veces a Nueva

York y de que Meredith viajara a menudo a París era un buen presagio. Además, ella había puesto en venta la hostería de Vermont, sin intenciones de obtener una buena ganancia. "Me conformo con no perder —dijo—; por suerte, tengo varios interesados en comprarla."

Cuando Catherine repitió esa conversación a su hermano, él le dijo, con una gran sonrisa:

—¿No te lo dije? Mamá piensa casarse con Luc y mudarse a Francia o, cuanto menos, pasar la mayor parte del año allá. Ya verás, Cat.

Esa misma noche su madre partiría hacia Europa, con una primera parada en Londres. Tenía que atender ciertos asuntos con Patsy, pero pensaba pasar un tiempo en Francia.

Catherine cubrió el plato de sándwiches con una servilleta húmeda, como se lo había enseñado Blanche en su infancia, y lo empujó hacia un rincón de la mesada; luego lavó las frutillas y les quitó los cabitos.

Aún seguía pensando en su madre. Hacía ya algunas semanas que estaba en tratamiento con una psiquiatra, buscando el origen de esos peculiares ataques de fatiga. Según le había dicho por teléfono, la doctora Benson la estaba ayudando a desenterrar recuerdos reprimidos de su infancia. Por fin creía estar avanzando.

Catherine rogaba que así fuera. Sólo quería que su madre se reconciliara con su pasado y tuviera, de una vez por todas, paz interior y un poco de felicidad. Después de todo, al mes siguiente cumpliría los cuarenta y cinco años.

—Todo está precioso, querida —dijo Meredith una hora después, echando un vistazo al loft—. Has agregado unas cuantas cosas desde la última vez que vine. Esa pintura, la lámpara, la escultura del rincón... —Hizo un gesto de aprobación. —Le has dado un aspecto estupendo. Esos toques nuevos quedan muy bien.

—Gracias, mamá. De tal palo, tal astilla. Supongo que salgo a ti en esto de estar siempre decorando ambientes. Siempre anidando, como tú.

—¿Yo hago eso? —Meredith, sorprendida, echó hacia su hija una mirada rápida. —No me había dado cuenta.

La muchacha estalló en una carcajada.

—¡Oh, mamá, cómo puedes decir eso! Entras en el más horrible de los cuartos, en cualquier lugar del mundo, y te basta con un par de horas para transformarlo: unas cuantas flores, un bol con frutas, unos almohadones aquí y allá, fotografías, revistas y libros. Cosas así. Tienes un verdadero talento para crear refugios, mamá.

—Supongo que sí. —Meredith se sentó en el sofá. —Me alegro de poder pasar un par de horas contigo antes de tomar el vuelo a Londres. Últimamente nos vemos tan poco... Podríamos aprovechar para discutir un poco lo de la boda y tomar algunas decisiones.

—Sí, claro, mamá. Durante el fin de semana Keith y yo estuvimos calculando fechas. Nos gustaría celebrar la boda en el otoño, como tú sugeriste.

A Meredith se le iluminó la cara.

—Estupendo, Cat; la fecha perfecta. Supongo que te refieres a principios de octubre, cuando el follaje empieza a cambiar de color.

Catherine asintió.

—El segundo sábado de octubre. Día catorce, vendría a ser. Al principio Keith y yo jugamos con el primer sábado, el siete, pero no es seguro que por entonces haya cambiado el follaje. ¿Qué opinas?

—Es mejor que sea el segundo sábado, Catherine. Las hojas estarán en pleno color y no caen tan pronto, no lo olvides. La ceremonia se hará en Silver Lake, ¿no?

—Sí. Por un momento pensamos en la pequeña iglesia de Cornwall, pero llegamos a la conclusión de que era demasiado pequeña. —Catherine sonrió. —Los Pearson son tantos...

La madre también sonreía.

—Por lo que dices, tendré que organizar una gran fiesta.

—¿No te molesta, mamá?

—¡Oh, querida, por supuesto que no! Me encanta. Es lo que siempre quise para ti: una gran boda con vestido blanco y todas las galas. Pero volvamos a los detalles. Sería mejor que llamaras al ministro de Cornwall para averiguar si estará disponible ese día.

—Sí, mañana. —Cat se levantó. —Quiero mostrarte los bocetos que hice para mi traje de novia, mamá. Voy a buscarlos; los tengo en el estudio.

Volvió un momento después y tomó asiento en el sofá, junto a Meredith. Las dos estudiaron la serie de dibujos; eran excelentes y mostraban el vestido desde diferentes ángulos.

—¿Qué opinas? —preguntó la muchacha, mirando a su madre con preocupación—. No has dicho nada. ¿No te gusta?

—Es bellísimo, Cat. Muy... medieval, ¿no?

—En cierto sentido. Pero tiene sugerencias más al estilo Tudor, isabelino. He dedicado mucho tiempo a este diseño, mamá, y en especial a los detalles.

—Sí, veo que es bastante complejo. —Meredith analizó el boceto que tenía ante sí. —Ya veo por qué dices que es isabelino: el escote cuadrado, muy cerca de las sisas, las mangas largas y abullonadas, el corpiño ceñido y la falda muy voluminosa. Elegantísimo, Cat. Sólo le falta una golilla blanca.

—No creas que no se me ocurrió —rió la chica—, pero decidí que era demasiado. El velo se sostendrá con un tocado de estilo Tudor, que caerá en una cola. Todavía me falta diseñar el tocado. ¿Qué te parece? ¿No me quedará mal?

—Por supuesto que no, Cat; te quedará perfecto. ¿Ya has decidido a quién encargárselo?

—Pensaba recurrir a Edetta. En estos últimos años nos ha hecho varios vestidos de fiesta, todos preciosos.

—Es cierto. Y ella sabrá buscar una seda blanca adecuada. Bueno, pasemos a los otros detalles. ¿A qué hora quieres que sea la ceremonia?

—Keith y yo pensamos que podría ser a mediodía. Primero las bebidas; luego, la ceremonia, y por último el almuerzo. Con baile. —Cat enarcó una ceja oscura. —¿Puede ser?

—Sí, me parece perfecto. Ya que voy a brindarte una gran fiesta, que sea completa. ¿Sabes cuántos serán los invitados?

—Creo que, en total, rondarán los ciento treinta. Keith y yo contamos ochenta o noventa por el lado de los Pearson. Y creo que por nuestra parte seremos unos cincuenta.

Meredith se echó a reír.

—No creo que nos acerquemos siquiera a ese número, querida.

—Te aseguro que sí, mamá. Todas mis amigas con sus novios o maridos. Blanche y Pete. Algunas de mis relaciones del mundo editorial. La gente de Havens. Y Patsy vendrá desde Londres, seguramente.

—Ya ha dicho que sí. También estarán Agnes y Alain

D'Auberville, los de París. Sí, creo que tienes razón; debemos de ser unos cincuenta.

—Luc también vendrá, ¿no?

—Eso espero.

—Keith y yo le tenemos cariño. Jon también.

—Oh, ya lo sé. Tu hermano lo dijo con toda claridad.

—Oye, mamá.

—¿Sí, querida?

—Luc te ama.

—Lo sé.

—¿Y tú a él?

—Sí, Cat. También.

—¿Y qué va a pasar?

—¿Te has puesto de acuerdo con tu hermano?

—¿Por qué?

—Porque él me dijo lo mismo, el día de tu compromiso. Para responder a tu pregunta, no sé qué va a pasar. Estar enamorados es una cosa; casarse, otra muy distinta. Y en mi caso hay tanto que tomar en cuenta...

—Lo sé, pero todo se puede solucionar. Ustedes dos son inteligentes. —Cat se levantó de un brinco. —Me alegro de que vinieras a esta hora. He preparado un buen té, como lo hacías tú cuando éramos chiquitos. Té de jardín de infantes, como tú decías. Preparé todo tipo de sándwiches diminutos, pasteles... de todo. Voy a calentar el agua y en seguida vuelvo. —Guiñó un ojo, agregando: —Antes de que puedas decir Jack Robinson.

Y corrió hacia la cocina.

Meredith, sonriente, se reclinó en el sofá, pensando en Luc. Pronto volvería a verlo, en cuanto hubiera terminado con lo de Inglaterra. En la oficina de Londres tenía que atender ciertos asuntos; además, debía viajar con Patsy hasta Ripon. La redecoración de Skell Garth estaba casi terminada y quedaban varias cosas por hacer antes de reabrir la hostería, en el mes de mayo. Luego viajaría a París para establecer base allí, pues faltaba mucho para completar las obras en la casa solariega de Montfort-L'Amaury. Gracias a Luc y a Agnes, avanzaban de prisa. Mientras estuviera en Francia, pasaría los fines de semana con Luc, en Talcy. Los dos estaban deseosos de hacerlo.

Se preguntó qué respondería si él le propusiera casamiento. Jon y Cat creían que todo era muy sencillo, pero en realidad su vida era bastante complicada. Ella vivía en los Estados Unidos; él, en Francia; los dos tenían empresas, compromisos y responsabilidades. Así como ella no podía volver la espalda a Havens Incorporated, Luc no renunciaría jamás a la práctica de su profesión en París. Claro que Meredith tampoco se lo habría pedido. ¿Cómo se podía resolver...?

—¿Por qué no tomamos el té aquí, mamá? —propuso Catherine desde la arcada que delimitaba el comedor—. Es mucho más sencillo.

—Voy. —Meredith fue a reunirse con ella. —¡Qué bonito! —exclamó, después de examinar la obra de Cat.

—Gracias. Siéntate, mamá. —La chica señaló una silla y ocupó la de enfrente. —Bueno, aquí tienes una buena taza de té, mamá, tal como te gusta. Sírvete de esos sándwiches. Hay de pepino, tomate, ensalada de huevo y jamón. Son pequeños, pero sabrosos.

—Me acuerdo de nuestros tés de jardín de infantes —comentó Meredith, tomando un minúsculo sándwich de pepinos—. Eran divertidos, ¿no?

Catherine asintió, sin dejar de masticar. Luego dijo:

—Quería comprar bollitos, pero no conseguí. En la panadería de la zona suelen tenerlos. Mi intención era servirte bollitos calientes con crema batida y mermelada de frutillas.

—Muy gentil, hija, pero así está mejor. No engorda tanto —aseguró Meredith, con una risa seca.

Catherine la observaba.

—Tú no tienes por qué preocuparte, mamá. Estás espléndida.

—Gracias.

La chica se levantó.

—En seguida vuelvo. Tengo que traer algo de la cocina.

Volvió a la mesa trayendo un cuenco de vidrio y una jarra. Se detuvo, sonriente, mirando a su madre con los ojos llenos de amor.

—Tengo algo rico para ti, mamá. Frutillas. Tus favoritas.

Meredith la miró fijamente.

Sintió una oleada de frío en todo el cuerpo.

Y luego, una voz en su mente, débil, como si llegara desde muy lejos: "Mari, Mari...".

Un momento después, la misma voz repetía sus ecos en la cabeza de Meredith: "Mari... Ven. Entra".

Una escena se encendió como un destello. En su mente veía a una mujer joven, de brillantes ojos azules y pelo rojo dorado, inclinada hacia una niña con expresión de amor. *Frutillas, Mari. Algo rico para el té.* La niña la miraba muy sonriente. Era una escena feliz; en la cara de la madre había tanto amor... Luego oyó que la niña lloraba: *Mami, mami, ¿qué pasa?*

La escena se esfumó.

Meredith estaba helada. Miraba fijamente a Catherine. Por un momento no pudo hablar.

Cat, que la había estado observando con atención, preguntó con aire preocupado:

—¿Qué te pasa? ¿No te sientes bien? Te has puesto muy pálida, mamá.

—Estoy bien —logró decir Meredith, meneando la cabeza—. Creo que acabo de tener una reminiscencia, como diría la doctora Benson. La primera.

—¿Qué viene a ser?

—Un recuerdo. Generalmente, un recuerdo reprimido que surge a la superficie. Creo que acabo de ver algo de mi niñez. Vi a una mujer de tu edad, más o menos, con ojos muy azules, como los tuyos, y a una chiquita. De unos cinco años. Al principio la escena era alegre, pero de pronto la pequeña estaba llorando. Se borró. —Meredith aspiró hondo varias veces. —Creo que éramos mi madre y yo. Mi madre biológica, Cat.

—¿Por qué crees que tuviste esa reminiscencia ahora, tan de repente? —preguntó Catherine, curiosa, mientras volvía a la silla sin apartar los ojos de su madre.

—Creo que la provocaste tú. Por la manera en que dijiste "frutillas" y "algo rico". Y por tus ojos, Cat, tan azules y tan llenos de amor.

Meredith hizo una pausa y meneó la cabeza.

—Jack tenía los ojos muy azules. Siempre pensé que los habías heredado de él, pero tal vez son los ojos de mi madre.

Catherine le tomó la mano, que descansaba en la mesa.

—Oh, mamá, qué maravilla. —Con la garganta anudada, dijo con voz emotiva: —A lo mejor sigues recordando cosas, hasta que sepas todo lo de tu pasado.

—Eso espero, querida. —Meredith se mordió los labios. —Convendría que llamara a Hilary Benson para contarle esto. Ella querrá saberlo. —Echó un vistazo a su reloj. —Son las seis. Todavía debe de estar en el consultorio.

—Anda, llámala —exclamó Catherine, levantándose—. El teléfono más próximo es el de la cocina.

La madre la siguió. Muy pronto estaba marcando el número de la psiquiatra en el teléfono de pared.

—¿Puedo hablar con la doctora Benson, Janice, por favor? Habla la señora Stratton.

—Oh, hola, señora. La comunico.

—Buenas tardes, Meredith —saludó Hilary Benson, un segundo después. —¿Cómo está?

—Bien. Como usted sabe, parto esta noche hacia Londres. Esta tarde vine a tomar el té con mi hija y ella dijo algo que me despertó un recuerdo. Creo que acabo de experimentar mi primera reminiscencia.

—Ésa es muy buena noticia, Meredith. Muy buena, por cierto. ¿Qué es lo que recordó, exactamente?

Ella le relató la escena con todos sus detalles. La psiquiatra exclamó:

—Es su primer recuerdo significativo, un verdadero adelanto, y creo que será sólo el comienzo. Es probable que haya otros en los próximos días. A menudo es así. Trate de concentrarse en algunos de los detalles que acaba de mencionarme; tal vez la lleven a toda una serie de recuerdos importantes.

—Eso espero. Me encantaría desenterrar el misterio de mis primeros años.

—Y así será, Meredith, estoy segura. Si necesita llamarme, no dude en hacerlo. Nos veremos dentro de algunas semanas.

—Sí, doctora. Gracias. Adiós.

Meredith colgó el auricular y se volvió hacia Catherine, que la miraba desde la puerta, expectante.

—¿Qué te dijo?

—Que era un recuerdo significativo y que probablemente habrá más.

—¡Oh, mamá! —La joven entró corriendo en la cocina para estrecharla entre sus brazos. —No sabes cuánto te amo. Quiero que tengas paz. Y un poco de felicidad en tu vida, por fin.

21 ⟿

Hacía una hora que Patsy Canton escuchaba con atención a Meredith.

Por fin dijo, en voz baja y reflexiva:

—Por lo que me dices, en esencia, crees que naciste en Inglaterra y que te llevaron a Australia siendo niña.

Meredith asintió.

—Exactamente. Supongo que tenía alrededor de seis años.

—¿Y fuiste sola? No puede ser. Tienes que haber ido con tus padres.

—Estoy casi segura de que fui sola, Patsy. Tengo la convicción de que mi madre ya había muerto.

—¿No tenías padre?

—No lo recuerdo.

—Pero ¿por qué fuiste sola? Me parece muy extraño. ¿Y quién te envió?

—No sé. —Meredith se encogió de hombros. —No tengo la menor idea.

—En ese sueño recurrente ves niños. ¿Es posible que te hayan enviado con otros niños? Como se enviaba a los evacuados a sitio seguro, en grupos, durante la Segunda Guerra Mundial.

—Puede ser, pero ¿por qué? En el cincuenta y siete,

cuando yo tenía seis años, no había ninguna guerra. ¿Por qué me sacaron de Inglaterra?

Patsy meneó la cabeza.

—No tengo idea, querida. Quiero ayudarte, pero no se me ocurre cómo. Estoy tan desconcertada como tú.

Meredith, suspirando, bebió un sorbo de agua, se reclinó en la silla y paseó la mirada por el restaurante del Claridge. Luego continuó en voz baja.

—Anoche, en el avión, no pude dormir. Supongo que dormité de vez en cuando, pero en general mi mente galopaba tratando de recordar algo.

—¿Y pudiste?

—Me vinieron a la memoria un par de cosas. La primera tiene que ver con mi nombre. En el orfanato de Sydney me llamaban Mary Anderson. Fue Merle Stratton la que me lo cambió por Meredith. Y también me dio su apellido al adoptarme, por supuesto. Pero nunca me llamé Mary. Es decir: ése no era mi nombre, aunque en el orfanato me llamaran así. Mi verdadero nombre es Mari y mi apellido, Sanderson.

—¿Y cómo fue que te lo cambiaron? —De inmediato Patsy meneó la cabeza y exclamó con voz horrorizada: —¡Oh, la burocracia, Dios mío! No hace falta que me digas nada. Algún idiota del orfanato confundió tu nombre.

—Creo que así fue, exactamente. Anoche, en el avión, recordé algo; recordé a una mujer muy severa, quien me decía que mi nombre no era Mari con "i" latina, sino Mary, con "i griega". Yo insistía en que me llamaba Marigold, pero ella no me creía. Me dijo, desdeñosa, que ése no era nombre de persona, sino de flor, porque significa "caléndula".

—Suele haber gente horrible al frente de esas instituciones. Lo que pasa en este mundo es terrible. Despreciable.

—Patsy lanzó un fuerte suspiro y miró con simpatía a su amiga. —Así que tu nombre de pila era Marigold. Y supongo que también se las compusieron para confundir Sanderson con Anderson.

—Sí. Y esa confusión sobre mi nombre podría explicar los rótulos de equipaje que veo en el suelo.

—¡Por supuesto! —exclamó Patsy—. ¡Brillante, querida!

Se hizo un pequeño silencio entre ambas. Por fin Meredith miró a la inglesa con aire serio.

—Mi madre se llamaba Kate. También he recordado eso. Y sé que ha muerto, así que no hay posibilidades de que la encuentre. Pero ahora que me he acordado de ella, después de tantos años, necesito hacer algo. Por mí misma. Necesito dar fin a todo esto. Me gustaría visitar su tumba, cuanto menos. Ver la sepultura, llevarle flores, estar con ella. Eso me ayudaría mucho. Tal vez comience a sentirme mejor. Tal vez, con suerte, desaparezcan los ataques de fatiga psicogénica.

—No dudo que te sentirías mucho mejor, Meredith. Y comprendo tu necesidad. En cierto modo, visitar su tumba te consolará.

—Cuanto menos ahora sé que ella existió, que no es un producto de mi imaginación. El caso es que no sé dónde está sepultada. He recordado su nombre, pero ignoro dónde vivíamos.

—En Yorkshire —anunció Patsy, después de pensar por un instante—. Estoy segura. Y eso explicaría la experiencia que tuviste en la abadía de Fountains. Es algo que me llamó la atención. No he olvidado lo que dijiste ese día, que las ruinas te habían provocado una fuerte reacción. Sin duda las visitaste cuando eras niña.

—Estoy de acuerdo. Pero tengo la sensación de que no

me crié en esa zona. Recuerdo algo más: que me llevaron a una ciudad. En autobús. Era una ciudad muy grande, con gran actividad y mucha gente. En el centro había una plaza grande, con estatuas negras. Mi madre solía llevarme a esa ciudad para ir a un mercado. Era enorme y tenía un techo de vidrio abovedado.

—Y en sus puestos se vendía de todo. ¿Me equivoco?

—No, es cierto.

Patsy movió afirmativamente la cabeza.

—Puestos de verduras y frutas, de pescado, carne, tortas, pan, ropa, muebles, loza y cristalería. Hombres que llamaban a los parroquianos para que se acercaran a ver y a probar sus mercancías. Todo el mundo pregonando de un modo muy verbal. ¿Recuerdas eso?

—¡Sí, Patsy, de veras! Solíamos detenernos a escuchar. Todos voceaban... sus mercaderías en diferentes tonos.

La amiga asintió.

—Es el mercado de Leeds, muy famoso. Y en la Plaza Municipal de Leeds hay estatuas negras de ninfas con antorchas. También hay una estatua ecuestre de Eduardo, el Príncipe Negro, de tamaño natural. ¿Te suena?

—Sí. Supongamos que provengo de Leeds. ¿Cómo podría averiguar dónde sepultaron a mi madre? ¿Quién sabría algo de Kate Sanderson treinta y ocho años después?

—Somerset House. En realidad, le han cambiado el nombre. Ahora se llama St. Catherine's House. De cualquier modo, por allí debemos comenzar: es el registro general de nacimientos, casamientos y defunciones de toda Gran Bretaña. Allí se guardan los archivos. De hecho, es una mina de informaciones.

—¿Dónde está?

—Aquí, en Londres, en Kingsway. Si tomamos un taxi llegaremos en seguida.

—Debo ir esta misma tarde.

—Sí, y yo iré contigo, Meredith.

Una hora después, Meredith y Patsy estaban en el registro de St. Catherine. Al cruzar las puertas vidriera, se encontraron inmediatamente en la oficina misma. Por todas partes había pilas y más pilas de carpetas alineadas en estantes.

—Parece una biblioteca —comentó Meredith, mientras ambas se acercaban al escritorio de seguridad.

Una vez que el oficial les hubo revisado los bolsos, Patsy le preguntó:

—¿Cómo se hace para buscar un acta de defunción?

El hombre les indicó que se dirigieran a un escritorio de informaciones, en el extremo de uno de los largos pasillos abiertos entre las estanterías de la izquierda. Allí había cinco empleados dispuestos a prestar ayuda. Ellas se acercaron a una joven y Patsy repitió su pregunta.

La empleada le entregó un folleto.

—Esto explica cómo utilizar la Sala Pública de Búsqueda. Es bastante fácil. Las actas de defunción están a la izquierda, en libros negros. Los nacimientos están encuadernados en rojo y se encuentran a la derecha. Busque el año del fallecimiento. Verá que hay cuatro libros por los cuatro trimestres de cada año. Son tres volúmenes por trimestre, ordenados en forma alfabética: de la A a la F, de la G a la O y de la P a la Z.

Patsy le dio las gracias y ambas volvieron sobre sus pasos. De nuevo en la Sala Pública de Búsqueda, se dirigieron hacia las carpetas negras y buscaron el año deseado. Meredith sacó el primer libro rotulado MARZO 1957, P A Z, y lo puso en la tabla que cruzaba el pasillo en toda su longitud, por delante de la estantería. Al abrirlo vio que cubría los meses de enero a marzo.

—Para ahorrar tiempo, ¿por qué no buscas el trimestre siguiente? —sugirió a su amiga—. Sería el de abril, mayo y junio.

—Buena idea. —Patsy fue en busca del tomo correspondiente.

Meredith deslizó el dedo lentamente por las listas de Sanderson fallecidos durante el primer trimestre del año 1957. El nombre de Katharine Sanderson no figuraba entre ellos. Echó un vistazo a Patsy.

—En este libro no figura. ¿Y en el tuyo?

—Espera un minuto, que no he terminado.

Meredith devolvió el registro a su estante y sacó el correspondiente a julio, agosto y septiembre de 1957. Una vez más, la muerte de su madre no estaba allí. Tampoco en los dos volúmenes que Patsy revisó en rápida sucesión.

—Hemos cubierto todo el año —murmuró la inglesa—. ¿Estás absolutamente segura de que tu madre murió en el cincuenta y siete?

—Sí. Bueno, eso creo.

—Pero ¿cómo lo sabes, Meredith, si dices que tienes tan poca información sobre ti misma? ¿Te acuerdas de su muerte?

—En realidad, no. Pero sé que cuando me llevaron al orfanato de Sydney tenía seis años.

—Así que recuerdas eso. ¿Cómo lo sabes?

—Porque me lo dijo Merle Stratton. Una vez me dijo que yo había llegado al orfanato a los seis, pero que allí no me habían enseñado nada en esos dos años.

—Bueno, así que llegaste a los seis años, en el cincuenta y siete. Pero eso no significa que tu madre muriera ese año. Tal vez fue en el cincuenta y seis, cuando tenías cinco.

—No lo creo. Sé que tenía seis. Pero veamos los archivos del año anterior.

—Buena idea.

Una hora después, Meredith y Patsy habían revisado todos los libros del año 1956 sin hallar nada. Meredith miró a su amiga, diciendo en voz baja:

—Esta búsqueda es inútil. Su fallecimiento no está registrado.

—¿Quieres revisar otros años?

—No, no tiene sentido. Tal vez estoy equivocada con respecto a la fecha, pero no podemos pasarnos todo el día aquí, revisando libros. Vámonos.

—No, espera un momento —adujo Patsy—. ¿Y si hubiera muerto en el extranjero?

—Mi madre nunca estuvo en el extranjero.

—Dame el gusto: vamos a hablar con los empleados. Es sólo un minuto. Por favor, Meredith.

—Está bien.

Cuando volvieron al escritorio de informaciones, Patsy abordó a la joven que las había ayudado rato antes.

—Buscamos el registro de una defunción y no hemos podido hallarlo. Ahora bien: si esa persona hubiera muerto en el extranjero, no estaría registrada, ¿verdad?

La joven meneó la cabeza.

—Estaría registrada, sí. Cuando muere un súbdito británico, tarde o temprano su defunción se registra aquí. La información llega de todas las embajadas y consulados británicos del mundo entero.

—Comprendo.

—En realidad es muy sencillo —prosiguió la empleada, mirándolas alternativamente—. Si no encuentran el nombre de una persona en los registros, eso significa que esa persona no ha muerto. Aún está con vida.

Meredith quedó boquiabierta.

—Muchas gracias por su ayuda —dijo Patsy.

Mientras la empleada las saludaba con una inclinación de cabeza, antes de volverles la espalda, ella tomó a su amiga por el brazo y se la llevó por uno de los pasillos.

Se detuvieron frente a las puertas vidriera que daban a la calle.

Meredith parecía aturdida y temblaba un poco.

Patsy, que no era ninguna tonta, comprendía muy bien todas las implicancias de ese inesperado descubrimiento.

—Sé lo que estás pensando, querida —dijo.

—No lo dudo —respondió Meredith, en voz tan baja que apenas se oía—. Si mi madre no ha muerto, como parecen indicarlo esos registros, está con vida. En algún lugar. En Inglaterra, probablemente. —Meredith hizo una pausa para aspirar hondo y aferró el brazo de Patsy. —¿Por qué se separó de mí cuando era pequeña? ¡Por Dios! ¿Por qué me enviaron a un orfanato de Sydney, nada menos? ¡Al otro lado del mundo! ¿Por qué, Patsy?

Sus ojos estaban llenos de angustia, tan tristes que Patsy quedó muda. Después de tragar saliva con dificultad, respondió suavemente:

—No lo sé, Meredith. Para mí no tiene ningún sentido.

—Se desprendió de mí porque no me quería.

Después de pronunciar esas palabras, Meredith quedó tan conmovida que fue a apoyarse contra la pared, mordiéndose los labios. Por un momento vaciló, como si estuviera por perder el sentido.

Patsy, al notar lo alterada que estaba, se hizo cargo.

—Escúchame: si tu madre está viva, como parece ser, vamos a encontrarla. Cueste lo que cueste, la encontraremos. Ven, vamos a buscar tu certificado de nacimiento.

—¿Por qué? —preguntó Meredith, angustiada—. ¿Para qué?

—Vamos a pedir una copia de ese certificado. Si naciste en este país y no en Australia, como crees, tu nacimiento está registrado en uno de esos libros rojos.

—¿Y de qué nos servirá ese certificado para buscar a mi madre?

—Un acta de nacimiento contiene mucha información, Meredith. Lo sé por la mía y la de mis hijos: el nombre del padre y su ocupación. El nombre de soltera de la madre. El lugar de nacimiento del niño, el domicilio de los padres, la fecha y el año de nacimiento, obviamente. Será suficiente para comenzar. Además, supongo que te gustaría tener una copia. Sólo para ti, para tu propio consuelo. Para tu paz de espíritu.

Meredith asintió sin decir nada. Se resistía a iniciar la búsqueda de ese certificado. ¿Y si no estaba allí? Entonces se sentiría aun peor que ahora.

Patsy insistió un poco más y la condujo hacia las estanterías. Esta vez se dirigieron hacia la derecha, donde estaban los libros encuadernados en rojo. Quince minutos después descubría que, en verdad, había nacido en Gran Bretaña: su nacimiento figuraba allí.

—Ya ves. Estaba segura de que encontrarías tu nombre en estos lindos libros rojos —exclamó Patsy, sonriéndole para animarla—. Ahora pidamos una copia. Tal vez puedan tenerla lista hoy mismo.

Sacó un formulario de la bandeja puesta en el extremo de la tabla y se lo entregó a Meredith:

—Llena esto y lo entregaremos en una de esas ventanillas, para que nos hagan la copia.

Meredith sacó una lapicera. Después de llenar el formulario lo entregaron en una ventanilla, donde a cambio de veinte libras obtuvo servicio prioritario. La copia estaría lista en veinticuatro horas.

El viernes por la tarde, a las cuatro en punto, Meredith y Patsy volvieron a St. Catherine. En pocos minutos, Meredith tuvo el certificado de nacimiento en sus manos.

Subieron a un taxi que esperaba para volver al Claridge.

Reclinadas contra el respaldo, estudiaron el papel. Meredith vio allí el nombre competo de su madre: Katharine Spence Sanderson. Su padre era Daniel Sanderson, contador. Se preguntó si de él habría sacado la cabeza para los números. Su nacimiento se había producido en el número 3 de Green Hill Road, Armley. El domicilio de sus padres era Hawthorne Cottage, Camino Beck, Armley, Leeds. La fecha de su nacimiento, el 9 de mayo de 1951, y había sido registrado por su madre el 19 de junio. Su nombre era, efectivamente, Marigold Sanderson.

—Ahora sabes bastante de ti misma —comentó Patsy, estrechándole el brazo con afecto.

—Más de lo que supe nunca, Patsy. —Meredith carraspeó. —Cuando era joven nunca tuve sentido de la identidad. Resulta intimidante no saber quién eres ni de dónde vienes. Es casi como no existir. Como no tenía identidad, me inventé a mí misma.

—Tener tu certificado de nacimiento debe de ser muy importante para ti.

—En efecto. Es... bueno, es una especie de convalidación de mi identidad. —Meredith forzó una pequeña sonrisa. —Al menos siempre celebré mi cumpleaños en la fecha correcta. En eso el orfanato no se equivocó.

—¿Qué vas a hacer ahora? ¡Oh, qué pregunta estúpida, Patsy Canton. Irás a Leeds, por supuesto.

—Mañana, Patsy. De cualquier modo pensábamos viajar a Ripon el domingo. Sólo debo adelantarme un día.

—Te llevaré yo.

—Pero...

—Nada de peros —exclamó Patsy—. Para empezar, necesitas mi ayuda, mi pericia. Te hará falta un guía y yo conozco muy bien Leeds y el resto de Yorkshire. Además, te quiero, Meredith. No te dejaré embarcarte sola en una búsqueda como ésta. Toda esta situación tiene demasiada carga emocional. Vas a buscar a la madre que perdiste hace mucho tiempo. Quién sabe qué desenterrarás durante esa búsqueda. Necesitas contar con un amigo.

—Sobre todo con una amiga tan buena y querida como tú. Gracias, Patsy. Gracias por ayudarme.

—Si partimos mañana, al alba, llegaremos a Leeds en dos horas y media; tres, a lo sumo. La autopista es bastante rápida. Creo que nuestra primera parada debería ser Armley, en Hawthorne Cottage.

—¿Conoces ese lugar?

—Sí. Uno de mis tíos tenía allí una curtiembre; vivía en Farnley, que está cerca. Farnley Lee, qué casa encantadora. Bueno, el caso es que, cuando íbamos de visita con mis padres, generalmente cruzábamos los Altos de Armley para llegar a

Farnley. ¿Tienes algún recuerdo de Hawthorne Cottage?

—Muy vagos. La cabaña estaba cerca de un río. Había vida silvestre. Patos, creo.

—Cuanto más hablemos, más recordarás. Estoy segura. ¿No es eso lo que te dijo la psiquiatra?

—Sí.

Al bajar del taxi frente al Claridge, Patsy la tomó del brazo.

—Entremos a tomar algo para celebrar.

—¿Celebrar qué?

Patsy se echó a reír.

—Siempre dije que te convertiría en una auténtica paisana de Yorkshire. Y ahora no tengo que hacer ningún esfuerzo, pues lo eres por nacimiento. Creo que eso merece un brindis.

Cuando Meredith entró en su suite del Claridge, el teléfono estaba sonando. Al atender oyó la voz de Luc:

—*Chérie, comment vas tu?*

—Estoy bien, querido. Justamente iba a llamarte a París. ¿A que no adivinas qué pasó hoy? Descubrí que mi madre aún vive.

—*Mon Dieu.* —Hubo una pausa. Luego él preguntó: —Pero ¿cómo te enteraste?

Ella procedió a explicárselo con todos los detalles. Luego agregó:

—Iremos a Yorkshire mañana y no el domingo, como estaba planeado. Para comenzar la búsqueda.

—¿Quieres que me reúna contigo?

—No es necesario. Me encantaría verte, querido, pero cuento con la ayuda de Patsy. Ella conoce a Yorkshire como la palma de su mano.

—Está bien. Comprendo. Quieres concentrarte. Pero voy a pensar mucho en ti. Llámame mañana, *chérie*. Mira que estoy preocupado. Te amo.

22

El sábado por la mañana partieron muy temprano hacia Yorkshire y llegaron a Leeds en tiempo récord. Para evitar el centro, Patsy tomó por Stanningley Road hasta Armley. Tuvo que pedir indicaciones varias veces, pero pronto dio con el camino Beck.

Mientras apuntaba el Aston-Martin por esa senda vecinal, echó un vistazo a Meredith, preguntando:

—¿Algo aquí te parece familiar?

—En realidad, no, ni siquiera el camino Lane. Parece demasiado corto y vulgar. Claro que, cuando una es pequeña, las cosas siempre parecen mucho más grandes e impresionantes. Y asustan más, claro.

—Eso es muy cierto —concordó Patsy—. Casi hemos llegado al fondo del camino. Parece un callejón sin salida.

Meredith miró por la ventanilla y estudió el paisaje.

—Lo que no entiendo es por qué no se ve el río.

—Seguro que lo veremos en un minuto. Anoche busqué este sector en un mapa de Leeds y observé que el río Aire y el canal de Leeds-Liverpool son adyacentes y corren paralelos. Nos lo enseñaban en la escuela, pero lo había olvidado. Ya verás que están ahí adelante, Meredith.

El camino Lane terminaba abruptamente en una pared

de ladrillos, semiderruida, que separaba la senda de un sembrado grande. Fue allí donde Patsy detuvo el auto y apagó el motor.

—Vamos a investigar —dijo, abriendo la portezuela para bajar.

Meredith la imitó.

Las dos se miraron. Se encontraban en una zona desierta; no había casas ni construcciones a la vista. Pero pocos metros más allá, en una cerca de madera destartalada, se veía un viejo portón. Meredith reparó súbitamente en él.

—No vi ese portón cuando pasamos —observó—. Debe de llevar a alguna parte.

Mientras hablaba echó a andar hacia él. Patsy la siguió.

El portón colgaba abierto de sus goznes oxidados. Al cruzarlo, Meredith notó que allí había existido un sendero, ahora cubierto de hierbas y césped, apenas visible. La huella, parcialmente oscurecida, conducía a un edificio en ruinas; en realidad, consistía en grandes montones de piedras, ladrillos, madera y escombros.

—¿Es posible que eso sea Hawthorne Cottage? —preguntó Patsy, poniéndose a la par.

—Puede ser —respondió Meredith, en voz baja. De pronto se sentía abatida y triste. Durante el viaje había empezado a creer que la cabaña podía estar aún en pie, que su madre aún viviría allí. Pero ahora comprendía que era sólo influencia de sus deseos. "Qué tonta soy —se dijo—. ¡Esperar que las cosas se mantendrían como eran hace casi cuarenta años! Todo cambia."

Al llegar al edificio demolido dio varias vueltas alrededor. Luego se volvió hacia el río Aire, que era visible desde ese punto elevado. Lo vio centelleando bajo el claro sol de la primavera. Más allá fluía el canal. Se volvió hacia Patsy, preguntándose en voz alta por qué, en su infancia, no había notado que los dos corrían paralelos.

—Porque eras muy chiquita, querida —respondió su amiga—. Tenías sólo cinco o seis años. No podrías prestar atención a algo así. O tal vez lo olvidaste, simplemente.

—Supongo que tienes razón —Meredith sonrió a medias.

—Además, en ese entonces era mucho más baja; tal vez no llegaba a ver tan lejos.

—Cierto —rió Patsy.

Ella siguió de pie frente a los montículos de piedras y escombros, contemplando reflexivamente el río Aire. Se esforzaba por retroceder en el tiempo, concentrándose en el pasado, tal como le había dicho Hilary Benson.

De pronto tuvo la imagen mental de un prado pequeño y bien cuidado, con canteros de flores y, más allá del jardín, un portón blanco abierto en un viejo muro de ladrillos, cubierto de rosales trepadores.

Se apresuró a cruzar el desolado jardín, rumbo al río; al acercarse a la ribera vio, tras un grupo de matas demasiado crecidas, el muro y los restos del portón. La pared estaba reducida a un montón de ladrillos, pero los rosales trepadores aún se extendían sobre él; probablemente aún florecían en el verano.

El corazón le dio un brinco. Reconocía ese lugar; lo conocía bien. Luego vio la roca y se quedó inmóvil. Un recuerdo acudió de súbito y la dejó casi sin aliento por lo claro y vívido que era.

Se vio tal como había sido cuando pequeña, sentada en esa roca, siempre sentada allí y soñando despierta. Era su lugar favorito, esa roca encaramada sobre la orilla del río. Era su visión del mundo.

Fue a sentarse en ella, con los ojos húmedos, y contempló la corriente que chapoteaba y tintineaba entre las piedras moteadas del lecho. En ese río había vida silvestre; recordó que a ella le encantaba observar los retozos de los patos, los chorlitos y las otras aves acuáticas.

Abrazada a sus rodillas, apoyó la cabeza en ellas, cerrando los ojos. Recuerdos... recuerdos... Estaban volviendo.

Allí estaba su madre. La madre de rizos cobrizos y ojos azules. Ojos sobrenaturalmente azules, casi cegadores. La madre amaba a la niña de la roca, la amaba hasta la locura. La niña era su mundo entero.

"Entonces, ¿por qué me envió tan lejos de ella? ¿Por qué?"

Para eso Meredith no tenía respuesta. Sólo Kate Sanderson podía responderla. Si acaso ella y Patsy lograban hallarla, lo cual, a su modo de ver, era muy improbable.

El dolor volvió de súbito, el dolor de su niñez, la constante con la que había vivido cuando niña. "Mamá, mamá, ¿dónde estás?", oyó llorar a la pequeña. Y se le estrujó el corazón. ¡Cuánto había soñado con esa cara, la cara bonita de la madre! ¡Cuánto la había anhelado, echando de menos esos brazos suaves, la calidez de su amor, la voz sedante, el consuelo de su presencia! El corazón de Meredith conservaba intactos los recuerdos, los mantenía inviolados: la cara bonita, los centelleantes ojos azules, el amor, la ternura, su perfume... la madre a la que nunca había dejado de amar o de extrañar: su madre, Kate Sanderson.

Meredith apretó con fuerza los ojos y se tragó las lágrimas. Le dolía la garganta.

—¿Te sientes bien? —preguntó Patsy, preocupada.

Ella tardó un momento en responder; no podía hablar. Irguió la espalda y se limpió las lágrimas con la punta de los dedos.

—No sé por qué hizo eso —dijo, por fin—. Hace un momento pensaba que jamás la encontraríamos, pero ahora sé que es preciso. Siquiera para formularle esa pregunta: ¿por qué?

Patsy no dijo nada. Se limitó a asentir con la cabeza, afectada por la emoción de Meredith, por el dolor reflejado en su cara.

Por fin ella la miró a los ojos, levantándose.

—Mira, Patsy: mi madre me amaba mucho, tanto como yo a Cat y a Jon. Por eso no imagino qué la llevó a actuar como lo hizo. Es un misterio.

Patsy le rodeó los hombros con un brazo.

—La hallaremos. Te lo prometo.

Cruzaron juntas el jardín cubierto de hierbas y se dirigieron al auto. Al pasar frente a los montones de escombros, Patsy preguntó:

—¿Te parece que esto puede ser Hawthorne Cottage?

Por un momento no hubo respuesta. Meredith se había detenido a contemplar esa masa de viejas piedras, pero en realidad no las veía. Veía la cabaña tal como había sido treinta y ocho años atrás: las ventanas refulgentes, las frescas cortinas de encaje blanco, las ollas de cobre reluciendo en la cocina. Veía su pequeño y limpio dormitorio, con el dibujo de rosas en el acolchado. Y oía esa voz meliflua: "Hay un hechicero que vende en su puesto cosas asombrosas, regalos como éstos..."

La voz se apagó.

—Sí —dijo Meredith, suavemente—. Es Hawthorne Cottage. Lo que de ella queda.

—Aquí está el número tres de Green Hill Road —dijo

Patsy, aminorando la marcha, mientras señalaba el gran edificio victoriano tras sus portones de hierro forjado—. Aquí naciste, Meredith. Antes era una maternidad. Ahora que lo veo, recuerdo haber venido aquí con mi tía, cuando mi prima Jane tuvo a su primer hijo. Vivían en Hill Top. Cuando volvamos al centro, te mostraré dónde.

Meredith contempló con interés aquel edificio. Luego observó:

—Dijiste que antes era una maternidad. ¿Ya no?

—Creo recordar que lo convirtieron en hospital general o en hogar para ancianos, no estoy muy segura. —Y concluyó, echando un vistazo a su amiga: —¿Quieres que bajemos a echar un vistazo?

—No, no, está bien. Pero me gustaría saber dónde me bautizaron.

Patsy encendió el motor para continuar la marcha.

—Probablemente, en la Iglesia de Cristo, en Armley. ¿Quieres que te lleve?

—Creo que no. Estoy segura de no recordar nada de eso. Pero gracias, querida.

—¿Y el mercado de Leeds? ¿No quieres pasar por allí y ver si te despierta algún otro recuerdo? En la década de los setenta hubo que reconstruirlo, pues se quemó por completo en un incendio. Por suerte, lo rehicieron en el mismo estilo victoriano que siempre tuvo. Así que está tal como lo conociste a los cinco o seis años.

—Dudo que tenga algún recuerdo importante de allí, Patsy. Creo que deberíamos seguir viaje a Ripon. Tenemos muchas cosas que repasar y discutir con los Miller. A propósito: me alegra saber que están dispuestos a quedarse como administradores.

—Estupendo, ¿no? —exclamó Patsy, con una sonrisa—. Yo también me alegré mucho cuando me lo dijeron, la semana pasada. No quise decírtelo entonces para darte la sorpresa cuando llegaras. Espero que no te hayas enojado por eso.

—No, no me enojé, y fue una sorpresa estupenda, efectivamente. Así no tendremos que entrevistar a nadie para conseguir un buen gerente.

—Cierto, pero tenemos que entrevistar a varios cocineros. Los Miller han seleccionado bastante, como te dije. Quedan tres.

—No está mal. Pero contratar a un cocinero suele ser asunto delicado, como tú sabes. Por lo general preparan una comida perfecta para impresionarte, pero ésa suele ser la única vez. Después vienen los desastres.

—Los Miller han estado probando a estos tres en la última quincena. Hay un hombre, Lloyd Bricker, y dos señoras, Morgan y Jones. Así que este fin de semana vamos a comer bien, sin lugar a dudas. Pero concuerdo contigo: elegir a un cocinero tiene sus bemoles.

—Espero que podamos abrir la hostería en mayo —comentó Meredith—. ¿Te parece que habrá algún problema?

—No, ya te lo dije cuando llegaste. Lo único que me preocupa es el tema del cocinero. Todo saldrá bien, no nos preocupemos. —Patsy le echó un vistazo y volvió a concentrarse en la ruta. —A propósito, ¿cuándo piensas viajar a París?

—Esperaba ir el miércoles, pero ya no estoy tan segura. Se supone que Agnes y yo vamos a visitar Montfort-L'Amaury el jueves, para ver cómo avanza la remodelación. Y después pensaba ir a Talcy con Luc, para pasar el fin de semana allí. Pero ahora que estamos buscando a mi madre ya no sé qué decirte.

—Tomemos las cosas poco a poco, día a día —sugirió Patsy.

Esa tarde, después de un delicioso almuerzo preparado por el cocinero Lloyd Bricker, las dos amigas recorrieron Skell Garth tomando abundantes notas. Una vez que hubieron revisado todos los cuartos de la hostería, se instalaron en un rincón del comedor vacío para revisar juntas las listas de lo que faltaba hacer.

—Todavía faltan muchas cosas en varios cuartos —dijo Patsy—. Creo que Claudia no me entendió del todo. Le expliqué varias veces que vamos a dar más categoría a la posada, tanto en alojamiento como en servicio. Ella no parece captar que la comodidad y el lujo son imprescindibles. —Echó un vistazo a su libreta. —Supongo que anotaste las mismas cosas que yo, Meredith. Bolsas de agua caliente con fundas, montones de toallas en todos los cuartos, boles con caramelos surtidos y velas perfumadas, mantas de lana, secadores de pelo, etcétera etcétera.

—Sí, lo mismo anoté yo, y son cosas fáciles de agregar. Tendremos que despacharlas desde Londres.

—Ya han sido despachadas —replicó la inglesa, haciendo un mohín—. Bueno, tal vez ella todavía no las ha puesto en funcionamiento. Se lo haré notar. ¿Qué opinas de la remodelación en general?

—Está bien, Patsy. Las telas y alfombras que elegimos son hermosas. Noté que los cortinados y los cubrecamas están bien hechos; también es bueno el trabajo de retapizado, gracias a ti. Y el empapelado es excelente. Pero tendré que reacomodar todos los muebles... en la mayor parte de los cuartos.

—Esperaba que dijeras eso. Hace dos semanas, cuando vine a supervisar la instalación de las alfombras y los cortinados, les di tus planos para la distribución de los muebles. Parecen haberlos ignorado por completo.

Meredith asintió con la cabeza, con una leve sonrisa.

—Los Miller se limitaron a poner todo tal como estaba antes, aunque no era la mejor de las distribuciones. Ni la más cómoda.

—Espero que no haya sido un error quedarnos con ellos —murmuró Patsy, echándole una mirada aprensiva—. ¿Crees que puedan ser demasiado apegados a sus costumbres?

—Tal vez, pero es algo que se puede cambiar. Aprovecharé el fin de semana para conversar con ellos. Tienen que entender que, si vamos a elevar los precios, es preciso mejorar lo que se ofrece. Los dos son inteligentes. Se los puede reeducar para que administren la hostería a la manera Havens.

Patsy sonrió.

—Me alegro de que seas tan optimista, Meredith. Empezaba a preocuparme.

—Si no fuera optimista, creo que no habría sobrevivido en ese orfanato de Sydney.

—No, creo que no. —Patsy echó un vistazo a su libreta. —Lo demás no tiene importancia; cambiar tomacorrientes, revisar el voltaje de las bombillas y cosas así. Puede esperar.

—Yo tampoco tengo mucho más. —Meredith apartó la silla para levantarse. —Salgo a caminar, Patsy.

—¿No quieres que te lleve en auto hasta la abadía de Fountains?

—No, pero gracias por ofrecérmelo. La verdad es que quiero caminar. Necesito ejercicio y aire fresco. Hasta luego.

La tarde no era muy fría, aunque aún estaban en abril.

Dondequiera se veía ya la presencia de la primavera. Los árboles estaban cargados de brotes; el césped, ya denso y verde; aquí y allá crecían parches de flores silvestres en los setos. Había escaramujos e iris. Al llegar a la avenida que conducía a la iglesia de Studley, Meredith quedó sin aliento: en todas partes florecían los narcisos, bajo los árboles y a la vera de la ruta.

Mientras paseaba entre ellos le vino a la memoria el poema de Wordsworth que Patsy le había recitado en enero. Si entonces le había sonado conocido, ahora caía en la cuenta de que sabía los últimos versos:

Y el alma se me colma de placer,
Y danza acompañando a los narcisos.

Lo sabía de memoria, porque su madre se lo había enseñado muchos años atrás y en su mente había permanecido, quizás en estado latente, pero siempre allí.

Se concentró en Kate Sanderson. Ya había superado en parte la sorpresa de descubrir que su madre no había muerto, pero aún la atribulaba el hecho de que, al parecer, Kate la hubiera abandonado tan cruelmente, cuando ella era pequeña.

Se conocía muy bien; horas antes, mientras viajaban hacia Ripon, había empezado a comprender que dentro de ella comenzaban a arder el enojo y el resentimiento. En tanto caminaba hacia la iglesia de la colina, decidió una vez más que hallaría a su madre, costara lo que costase.

Al llegar a la cumbre se detuvo a contemplar la abadía, allá abajo. Tal como había sucedido en enero, parecía llamarla, tirar de ella.

"Un imán —pensó—, actúa sobre mí como un imán." Y

apretó el paso sendero abajo, casi a la carrera. Pocos minutos después entraba en las antiguas ruinas.

Bajo la intensa luz de primavera, la dramática belleza de ese imponente monolito en ruinas resultaba aún más sobrecogedora. Oscuro e imponente, se recortaba contra el cielo pálido como si una mano poderosa lo hubiera arrojado allí. Pero el verdor de los árboles circundantes suavizaba lo negro de sus piedras. A pocos metros se veía la corriente del río Skell, en su curso hacia Ripon. "Un río más —pensó Meredith—, con razón me gusta vivir cerca del agua. Así me crié."

Se sentó en un sector de muro derruido, e intentó imaginarse en ese lugar con Kate Sanderson. Pero no acudió ningún recuerdo, aunque pasó más de media hora sentada allí. Su mente estaba en blanco. Pero volvía a tener la fuerte sensación de que conocía Fountains; en ese lugar antiguo le había sucedido algo importante y trágico. Pero ¿qué?

Sólo su madre tenía la respuesta.

Meredith siempre había utilizado el trabajo para someter al corazón y calmar el dolor. Trabajar hasta caer de cansancio podía apartar la mente de sus problemas y así funcionar debidamente.

Por eso pasó el resto de la semana por completo dedicada a crear un nuevo estilo, su propio estilo, en las habitaciones del hotel. Eso la libraba de preocuparse por su madre.

Con la ayuda de Patsy, Bill, Claudia Miller y tres peones, hizo cambiar los muebles de sitio hasta que todas las disposiciones la dejaron conforme, hasta que cada ambiente tuvo el aspecto que ella deseaba. Camas, sillas, sofás, mesas antiguas y cómodas fueron colocados bajo su dirección. Luego se dedicó a reacomodar lámparas, accesorios y cuadros.

Los Miller estaban estupefactos y desconcertados. Tal como dijo Bill a Patsy: "No podíamos creerlo, cuando la vimos quitarse la chaqueta y arremangarse para poner manos a la obra".

Claudia Miller era la más impresionada por la energía y el tesón de Meredith. Avanzada la tarde del domingo dijo a Patsy, ya exhausta:

—Nunca he visto a nadie trabajar así. No para. Es un tornado.

—Lo sé. Nunca deja de asombrarme. Es una bestia de carga. Y muy talentosa, además —señaló Patsy—. Tiene un estilo estupendo.

Claudia se limitó a asentir con la cabeza.

—Meredith tiene muy buen gusto para la decoración. Nació para eso.

—Ya lo he notado. Las habitaciones lucen mejor tal como ella las dejó. Supongo que Bill y yo fuimos un poco lentos en la renovación. Deberíamos haber seguido con más exactitud los planos que usted nos dejó. —La mujer parecía súbitamente preocupada. —Espero que no estén enojadas con nosotros.

—No, por supuesto. No se preocupe —la tranquilizó Patsy—. Pero en el futuro, Claudia, trate de seguir nuestras instrucciones al pie de la letra. Todos nos ahorraremos dolores de cabeza. Mañana la ayudaré a desempacar todo lo que le envié la semana pasada desde Londres. Mientras tanto, Meredith terminará con el sector público de la planta baja. Quiere que terminemos antes del almuerzo.

—Mañana entrevistarán a los cocineros, ¿no? Hay que resolver esto antes del lunes.

—No hay problema. A propósito, el almuerzo de hoy me gustó mucho. Lo preparó la señora Morgan, ¿no?

—Sí, y también hará la cena esta noche.

—¿No debía hacerlo la señora Jones?

—Temo que no. Anoche, al prepararnos la cena, se quemó la mano y ha pedido que hoy le demos el día libre.

—Comprendo. ¿Usted prefiere a alguien en especial, Claudia?

—Sí, a la señora Morgan. A mi modo de ver es la mejor. Además, parece muy adaptable y fácil de tratar, no tan temperamental como Lloyd.

—¿Y la señora Jones? ¿No le causa buena impresión?

—Es buena cocinera, pero no creo que sirva para la hostería... al menos, tal como va a ser en el futuro.

—O sea que no es muy sofisticada.

—No, no es eso lo que quiero decir. Usted y Meredith dicen que quieren cocina inglesa elegante y, hasta cierto punto, de tipo campestre. En mi opinión, la señora Morgan es la ganadora. Es la más adecuada de los tres.

La señora Morgan resultó ser una mujer de unos cincuenta y cinco años; tenía las mejillas rosadas, brillantes ojos pardos y una sonrisa alegre.

Meredith reparó de inmediato en su actitud simpática; a los pocos segundos de estar con ella se sintió a gusto. La mujer exudaba serenidad y confianza en sí misma. Por la expresión de Patsy, era evidente que a ella también la había conquistado de inmediato.

—Me dice Claudia Miller que usted está habituada a cocinar para grupos relativamente numerosos, señora Morgan.

—Oh, sí. Hasta hace algunos meses trabajaba en un hotel de la frontera escocesa. Una casa vieja convertida en posada, como ésta, pero algo más grande. Y en el restaurante recibíamos también a mucha gente de la zona. Así que el gentío no me asusta para nada, señora Stratton. Siempre que tenga un par de ayudantes, claro.

—Comprendo, señora Morgan. No hay problema —intervino Patsy.

—Di todas mis referencias a la señora Miller. Espero que las hayan visto.

—En efecto —Meredith le sonrió. —Y son excelentes. También hemos disfrutado de las comidas que preparó usted esta semana.

—Muchísimas gracias, señora Stratton. Díganme Eunice, por favor, así entramos en confianza, ¿no les parece?

—Con gusto, Eunice. —Meredith hizo una pausa y agregó, meneando la cabeza. —Conocí a una sola persona que se llamara Eunice: la niñera que me cuidaba cuando era chica.

La mujer se echó a reír.

—¡Qué coincidencia! Usted tenía una niñera llamada Eunice en América y yo era niñera aquí, en Yorkshire.

Meredith la miró con fijeza. Al cabo preguntó:

—¿En qué lugar de Yorkshire?

—En Leeds. Soy de esa zona. Mi esposo es de Ripon y hace años que me fastidia para que nos radiquemos aquí.

—¿A quién cuidaba? —preguntó Meredith, sin dejar de mirarla.

—A una chiquita encantadora. Se llamaba Mari.

—¿El apellido...? —Su voz sonaba estrangulada.

—Sanderson. —Eunice la miró con atención. —¿Se siente bien, señora Stratton? Tiene mala cara.

—Esa chiquita era yo, Eunice. Soy Mari Sanderson.

—¡No puede ser! ¡No me diga que usted es Mari! —exclamó Eunice, visiblemente atónita.

—Es verdad.

—¿Pero qué me cuenta? Esto sí que es de película. —La mujer rió entre dientes. —¿Te lo hubieras imaginado, Mari? ¡Justamente yo, cocinera? Siempre te quemaba el almuerzo, ¿te acuerdas? Tu pobre madre se volvía loca.

—Me gustaría hablar contigo de mi madre —dijo Meredith.

23

—Mi madre y yo nos separamos cuando yo era niña —explicó Meredith—. No sé cómo pudo suceder, pero así fue.

—Estaba enferma. Recuerdo que la internaron en un hospital —dijo Eunice.

—¿Quién cuidaba de mí?

La mujer se llevó la mano a la boca, arrugando el entrecejo con aire pensativo. Por fin meneó la cabeza.

—Si quieres que te sea sincera, no lo sé. Debo de haber pensado que estabas con algún pariente.

—Parientes —musitó Meredith—. Ni siquiera recuerdo haber tenido parientes, Eunice. Sólo estábamos mi madre y yo, las dos solas.

—Sí... —Eunice se respaldó en la silla, preocupada. Luego preguntó en voz baja y vacilante: —¿Y qué fue lo que te pasó?

—No lo sé con exactitud, pero acabé viviendo en el extranjero.

Patsy se dirigió a la cocinera.

—¿Cuándo fue la última vez que viste a la señora Sanderson? ¿Te acuerdas de eso?

—Déjame pensar... Fue el verano en que ella se enfermó, probablemente. Tengo que hacer memoria. Sí... sí, fue entonces, en el verano de 1956. Un día fui a Hawthorne Cottage para cuidar a la nena y me encontré con que no había nadie. Así que volví a mi casa. Vivíamos en los Greenocks, cerca de la calle Town. Pocos días después me encontré con el agente O'Shea, que era vecino nuestro, y él me dijo que la señora Sanderson estaba en el hospital. Cuando le pregunté por Mari me dijo que estaba muy bien atendida. Y eso fue todo. Pocas semanas después nos fuimos de Armley. Mi madre consiguió una casa en Wortley, cerca de su hermana, y nos mudamos todos.

Meredith había escuchado con atención. Se inclinó hacia adelante para comentar a Eunice:

—El "agente O'Shea" me suena, pero no logro identificarlo.

—¿No? ¡Pero si te quería mucho, Mari! Era el policía de la zona, el que recorría Armley. Solía estar apostado en esa cabina de Canal Road. ¿Estás segura de que no lo recuerdas?

—No hay caso.

Patsy comentó:

—Quizás el agente O'Shea pueda aclararnos qué pasó contigo.

—Sí, es cierto. —Meredith se volvió otra vez hacia Eunice. —¿Sabes si todavía vive en Armley?

—Oh, no sé. Es que perdí el contacto con esa gente hace millones de años. Además, ya debe de estar jubilado. En aquella época tenía unos treinta años, así que ahora ha de tener... sesenta y ocho, más o menos. Hum... ¿A quién conozco que siga viviendo en los Greenocks? Déjenme pensar.

Patsy se levantó.

—Voy a buscar la guía telefónica de Leeds. —Y cruzó apresuradamente el comedor para ir a la oficina.

Ya a solas, Meredith y Eunice se miraron cautelosamente, sin decir nada. Eunice fue la primera en hablar.

—Te has convertido en una mujer preciosa. Y has progresado mucho. Vives en América, eres dueña de una cadena de hosterías...

Meredith sonrió a medias, sin hacer comentarios. Miraba otra vez hacia el pasado, tratando de recordar al agente O'Shea, pero sin éxito alguno. Ni siquiera podía imaginar su cara.

Eunice prosiguió:

—¿Y estás casada?

—Divorciada. Tengo dos hijos. ¿Qué me cuentas de ti, Eunice? ¿Tienes hijos?

—Dos, como tú. Malcolm y Dawn, los dos casados. Me han dado cinco nietos. ¿Y los tuyos? ¿Están casados?

—Mi hija está comprometida. El varón todavía está en la universidad; sólo tiene veintiún años.

Patsy volvió al comedor, trayendo la guía de Leeds, y se sentó frente a Eunice.

—Bueno, vamos a buscar a todos los O'Shea que vivan en Armley. No pueden ser tantos. Tal vez haya alguno que viva en los Greenocks. ¿Cuál era el nombre de pila del agente, Eunice?

—Peter. No, espera un minuto. Era un nombre irlandés. Déjame pensar... ¡Patrick! Sí, se llamaba Patrick O'Shea.

Patsy recorrió la lista con un dedo. Por fin levantó la cabeza.

—Hay tres con la inicial P; dos viven en Armley y uno en Bramley, pero ninguno en los Greenocks. Bueno, lo único que puedo hacer es llamar a los tres números. Usaré aquel teléfono.

Y se llevó la guía hacia el teléfono de la entrada.

Meredith se levantó para acercarse a la ventana que daba al jardín, pensando en su madre. De pronto se volvió para clavar en Eunice una mirada penetrante.

—En los años siguientes, ¿nunca tropezaste con mi madre?

—No, nunca. —La cocinera arrugó las cejas. —¿Así que no murió?

—Creo que no, Eunice. La estamos buscando.

—Ah...

Un momento después Patsy cruzó el comedor a la carrera, abrazada a la guía telefónica. Estaba radiante.

—¡Lo encontré! Ahora vive en Hill Top. Está cerca del hospital St. Mary, Meredith. No pude hablar personalmente con él, porque había salido, pero sí con su esposa. Decididamente, es el Patrick O'Shea que buscamos. La mujer me dijo que es sargento de policía retirado. Y ella se acuerda vagamente de Mari y de su madre. Dice que él estará de vuelta por la tarde, alrededor de las dos. Le pregunté si podíamos ir a visitarlo a esa hora y me aseguró que no había inconveniente.

Meredith se sentó frente a Patrick O'Shea, en la sala de su casa de Armley. No lo recordaba en absoluto. Era un hombre alto, de buena contextura, pelo oscuro agrisado y modales agradables.

—Eras una niña tan bonita... —le dijo, sonriendo—. Marigold. Ese nombre siempre me pareció encantador para una criatura. Pero continúo: esa mañana viniste a buscarme, muy afligida y llorando. Creías que tu mamá había muerto.

—Pero estaba viva, ¿cierto? —lo interrumpió ella.

—Sí, aunque nada bien. Viniste a la cabina policial de

Canal Road. Yo te llevé a tu casa en brazos, para ahorrar tiempo. Por otra parte llorabas, estabas muy afligida. Encontramos a tu madre sentada en una silla de la cocina. Estaba blanca como un papel y muy descompuesta. Cuanto menos, eso pensé yo. Dijo que esa mañana se había desmayado. Pedí una ambulancia y llegó en quince minutos. Se la llevaron al hospital de Leeds.

—¿Y qué hicieron conmigo? —Meredith tenía la vista clavada en Patrick O'Shea.

—Lo último que ella me dijo, cuando cerraron las puertas de la ambulancia, fue: "Cuídeme a Mari, agente O'Shea". Y yo le hice caso. Hablé con mi sargento y decidimos que lo mejor era llevarte al Hogar para Niños del Doctor Barnardo, en Leeds, hasta que tu madre se curara.

—¿Y qué pasó cuando mi madre se repuso?

—Las dos volvieron a vivir en Hawthorne Cottage, por lo que recuerdo. Pero no creo que a ella le fueran bien las cosas; le costaba mucho conseguir trabajo.

—¿Qué fue de... mi padre?

—No sé mucho de él. Es decir: no puedo darte detalles. Kate me dijo una vez que la había abandonado para irse al Canadá. Eso es todo lo que yo sabía. Supongo que jamás volvió.

—No lo recuerdo. Debe de habernos abandonado cuando yo era muy pequeña.

Patrick O'Shea asintió.

—Creo que así fue.

—¿Sabe usted si mi madre volvió a enfermar, señor O'Shea?

—Por cierto. La internaron por segunda vez en... oh, debe de haber sido al año siguiente. Por el cincuenta y siete, si la memoria no me falla.

—¿Y yo volví al hogar para niños?

—Puede ser. Sí, es muy probable. No había quien te cuidara. Después de eso perdí el contacto con tu madre. La verdad es que no volví a saber de ustedes. De buenas a primeras había otra familia viviendo en Hawthorne Cottage. Nunca más volví a verlas, ni a tu madre ni a ti, Mari. Digo, señora Stratton. Unos años después me dijeron que ella estaba trabajando en Leeds.

—¿No sabe dónde?

—Sí, déjame pensar... Era una tienda de modas, de eso estoy seguro. Y una de las elegantes. Estaba en la calle Comercial. ¡París Modas! Así se llamaba.

—¿Todavía existe?

—Oh, sí, creo que sí.

—Como le expliqué, agente O'Shea, mi madre y yo nos perdimos de vista. A mí me enviaron al extranjero. Estaba convencida de que ella había muerto, pero acabo de descubrir que puede estar viva y debo hallarla.

—Comprendo. ¿No figura en la guía telefónica?

—No.

—Tal vez en París Modas haya alguien que pueda darte información sobre su paradero.

—Bueno, se portó muy bien —comentó Patsy, mientras el coche se alejaba de la casa del agente, rumbo a la ciudad—. Pero no lo recuerdas, ¿verdad?

—No, Patsy. Ojalá pudiera. —Meredith suspiró.

—Supongo que bloqueé todo eso. Si al menos recordara mejor esos primeros años... Pero no puedo. Tengo reminiscencias parciales, como suele sucederles a los amnésicos, pero eso es todo.

—No te preocupes. Seguro que en la tienda nos darán más información.

—No estoy muy convencida. Francamente, Patsy, creo que esta búsqueda es inútil. Todo esto sucedió hace treinta y ocho años. No creo que mi madre siga trabajando en París Modas. Y estoy segura de que allí no habrá nadie que la recuerde.

—Eso no puedes asegurarlo, Meredith. Iremos a la tienda y haremos unas cuantas preguntas. Puede que alguien se acuerde de Kate Sanderson y nos dé una pista.

—Es posible, pero ¿no se te ha ocurrido que mi madre puede estar muy lejos de Yorkshire? Tal vez se mudó. Y el mundo es muy grande.

—Comprendo lo que dices, querida, pero creo que te equivocas. Tengo la corazonada de que tu madre está muy cerca. Digamos que es intuición si quieres. Ya verás que la encontramos.

Como Meredith no respondía, su amiga le echó un vistazo. El corazón le dio un vuelco al verla tan triste.

Continuaron viaje en silencio, pero después de un rato Patsy dijo:

—No sé si estacionar en Leeds. Lo mejor sería ir al hotel Queens y dejar el auto allí, cerca de la estación ferroviaria. Para llegar a la calle Comercial sólo tendremos que caminar unos minutos.

—Como quieras. No me acuerdo de esa calle. Sólo del mercado.

Pero veinte minutos después, mientras recorrían la calle en cuestión, Meredith se detuvo súbitamente, aferrando a Patsy por el brazo.

—Por aquí cerca está Marks and Spencer. Ahora me

acuerdo. A mi madre le gustaba ir allí. En Marks me compraba la ropa interior.

Instantáneamente se vio a sí misma caminando por esa calle, tomada de la mano de su madre.

—Casi siempre me compraba un helado. Una vez tropecé y se me cayó el cucurucho. Me eché a llorar y ella, para consolarme, me dio su helado.

—Ya ves que vas recobrando los recuerdos —exclamó Patsy, complacida—. Y aquí está París Modas.

Empujó la puerta y ambas entraron en el elegante local. De inmediato se acercó una joven vestida de negro.

—¿Puedo atenderlas? —preguntó con una sonrisa cortés—. Tenemos líneas nuevas. Estupendas, recién llegadas de París.

—Oh, sí —dijo Patsy—, sabemos que su ropa es estupenda, muy elegante, pero no queremos comprar nada. En realidad, hemos venido para hablar con el gerente.

—No tenemos gerente —explicó la joven—. La señora Cohen, que es la propietaria, lo maneja todo.

—Comprendo. ¿Está ella aquí? ¿Podemos hablar con ella? —preguntó Meredith.

La muchacha asintió.

—Iré a buscarla. Está en la oficina.

Pocos segundos después, desde atrás de un biombo, apareció una mujer de unos cincuenta años, elegantemente vestida y con mucho porte.

—Soy Gilda Cohen —dijo, alargando la mano a Patsy.

—Encantada de conocerla, señora Cohen—. Soy Patsy Canton. Mi amiga, la señora Stratton.

—Un placer, señora Stratton. —Gilda Cohen le estrechó la mano.

Meredith respondió con una sonrisa.

—Estoy buscando a alguien, señora Cohen. Una mujer que trabajó aquí, hace muchos años. Temo que debe de haber sido antes de que usted se hiciera cargo.

—¿A quién busca? —preguntó la propietaria, con curiosidad.

—A mi madre. Trabajó aquí a fines de la década de los años cincuenta o a principios de los sesenta. Se llamaba... es decir, se llama Kate Sanderson. Nos separamos cuando yo era pequeña y siempre creí que ella había muerto. Pero ahora tengo motivos para creer que aún vive. Quiero encontrarla.

—No lo dudo, señora Stratton. Es muy comprensible. Y usted está en lo cierto: Kate trabajaba aquí en los tiempos en que mi madre manejaba la tienda. Yo la heredé de ella. En esa época estaba en la universidad, pero conocí a Kate. Una mujer encantadora. Mi madre le tenía mucho cariño, por cierto, y lamentó mucho que se fuera.

—¿Cuándo fue eso, señora Cohen? —preguntó Meredith.

—Debió de ser entre el año sesenta y cinco y el setenta. Pero no se queden de pie, por favor. Pasen a mi oficina y tomen asiento. ¿Puedo ofrecerles una taza de té?

—No, pero se lo agradezco.

Patsy también rehusó. Las dos siguieron a Gilda Cohen hasta la oficina y ocuparon juntas el sofá, frente a ella, que se había instalado detrás del escritorio.

—Como les dije, mi madre estaba muy encariñada con Kate. La tomó bajo su protección, en cierto modo, y después de que se fue se mantuvo en contacto con ella.

—¿Sabe adónde fue a trabajar?

—Sí: regresó a la ciudad de donde provenía, Harrogate, y se empleó en Jaeger. Cierta vez mi madre me dijo que Kate no había sido feliz en Leeds. "Mi pájaro herido", la llamaba, aunque no sé por qué. Yo me casé joven y tuve un hijo, así que en esos tiempos no trabajaba en la tienda, y no llegué a intimar con ella. Pero causó muy buena impresión a mi madre y también a otras personas. Todo el mundo hablaba bien de Kate.

Meredith suspiró.

—No creo que trabaje todavía en Jaeger. ¿Qué opina usted, señora Cohen?

—Puedo asegurarle que no, señora Stratton. Sólo estuvo en Jaeger por un par de años. Después se mudó. La última vez que supe de ella por mi madre, estaba a cargo de Place Vendôme, una excelente boutique de Harrogate que vende ropa de alta costura. —Gilda Cohen se reclinó en la silla. —Si mi madre aún viviera, podría decirles mucho más.

Meredith la miró con simpatía.

—Lamento que haya perdido a su madre.

—Sí, fue triste para todos. Pero su vida fue estupenda. No estuvo enferma un solo día en sus noventa años de existencia.

Hubo un breve silencio. Luego Patsy dijo:

—¿Kate Sanderson todavía trabaja en Place Vendôme?

—No lo creo, señora Canton. La última noticia que tuve fue que ya no vivía en Harrogate.

—Otro callejón sin salida —dijo Meredith, con voz angustiada.

Gilda Cohen propuso:

—Puedo llamar a Annette Alexander, la propietaria de la boutique. Quizá tenga la dirección de Kate.

—Oh, ¿me haría ese favor? ¿No le molesta? —preguntó Meredith—. De lo contrario podemos ir hasta Harrogate. —Echó un vistazo al reloj. —Son sólo las cuatro y media.

—Sí —confirmó Patsy—. Podemos pasar por allí al regresar a Ripon. Nos queda de paso.

—No, no, la llamaré ahora mismo. No es ninguna molestia.

Gilda Cohen levantó el auricular y marcó el número de la boutique.

—Hola, habla Gilda Cohen. ¿Está la señora Alexander?

Hubo un breve silencio. Luego la mujer cubrió el micrófono para explicar:

—Han ido a buscarla. Se está despidiendo de una clienta. Hola. Ah, eres tú, Annette. ¿Cómo estás?

Gilda escuchó una vez más. Luego dijo:

—Aquí hay dos señoras que buscan a Kate Sanderson. Se fue hace años, ya lo sé, pero por casualidad ¿no tendrías su dirección o algún número de teléfono? —Tras el silencio siguiente, exclamó. —¡Oh, de veras! Un momento. Voy a preguntar.

Volvió a cubrir el micrófono con la mano.

—Dice la señora Alexander que su madre renunció para casarse. Pero no recuerda el apellido de su esposo. Quiere saber dónde puede ponerse en contacto con ustedes si le viene a la memoria.

—En la casa Skell Garth, de Ripon, señora Cohen —informó Patsy—. El número es Ripon 42900.

Gilda lo repitió a Annette Alexander. Después de darle las gracias, se despidió y dijo, mirando directamente a Meredith:

—Si mi madre estuviera aún con nosotros, se alegraría mucho de saber que Kate acabó por casarse. Siempre comentaba que Kate era muy triste y que había tenido una vida muy trágica.

—Nos ha prestado una gran ayuda, señora Cohen —murmuró Meredith, levantándose—. Muchísimas gracias.

—Sí, gracias —agregó Patsy.

—Ha sido un placer. Sólo lamento no haber podido hacer algo más por reunirla con su madre, señora Stratton. Annette es muy responsable. Le aseguro que, si recuerda con quién se casó su madre, no dejará de llamarla.

—Ojalá.

Gilda Cohen las acompañó hasta la puerta. Cuando salían a la calle les dijo:

—Me encantaría saber si se encontró con Kate, señora Stratton. Mi madre la quería mucho.

—La mantendré al tanto —prometió Meredith.

—¿Cómo no se nos ocurrió? —murmuró Patsy, mientras caminaban por la calle—. Era lo más obvio. Tu madre era joven y bonita, según dices.

—Muy bonita. Realmente hermosa. —Meredith la tomó del brazo. —Jamás la encontraremos. Éste es otro callejón sin salida, ¿te das cuenta?

—¡No, nada de eso! —exclamó la amiga—. Por el contrario. A primera hora de la mañana llamaré a la oficina, para que Valerie vaya a St. Catherine. Allí se archivan las actas matrimoniales. Podemos averiguar con quién se casó tu madre.

Meredith se alegró de inmediato.

—¡Qué idea estupenda! Llamémosla ahora mismo.

—Hoy no está en la oficina. No olvides que iba a pasar el fin de semana en Milán. No volverá hasta la noche.

—¿Estás segura de que hay registros de los casamientos? —preguntó Meredith en voz baja, cuando llegaron a la plaza.

—Segurísima. Es el registro oficial de nacimientos,

defunciones y casamientos. —Después de una pausa, Patsy agregó: —Estuve pensando... Tal vez convendría ir al Hogar del Doctor Barnardo y hacer algunas averiguaciones. Ellos podrían aclarar lo que pasó contigo. Y con tu madre.

Meredith la miró de reojo.

—Imposible. Conozco esos lugares. Nunca te dicen nada, porque están envueltos en secretos. Sólo iré allí como último recurso.

Había apretado la boca en una línea sombría. Patsy le echó una mirada y decidió no decir nada más, por el momento. En el viaje de regreso a Ripon habló de cualquier otra cosa, tratando de distraer a su amiga para que no pensara en su madre. Ni en los orfanatos.

De pronto se echó a reír.

—¿Sabes, Meredith, que nos hemos portado muy mal?

—¿A qué te refieres?

—Cuando descubrimos quién era Eunice Morgan, la sometimos a un interrogatorio y luego salimos a la carrera en busca de tu madre. La pobre mujer debe de pensar que estamos locas. Ni siquiera terminamos nuestra entrevista.

—Yo también me di cuenta de eso, hace un rato. A propósito, ¿qué piensas de contratar a Eunice?

—Estoy de acuerdo. Me parece la mejor de los tres. Lloyd Bricker me resulta un poco esnob y demasiado arrogante. En cuanto a la señora Jones, no me impresionó mucho.

—Yo creo que es pura espuma —confirmó Meredith—. Y tienes razón con respecto a Lloyd. Contratemos a Eunice, ¿quieres? Es buena cocinera, por cierto. Ya hemos probado sus platos. —Sonrió apenas. —Es obvio que ya no quema la comida, como cuando yo era chica.

Patsy se echó a reír, feliz de ver en Meredith un destello de buen humor.

A la mañana siguiente llegó la llamada telefónica.

Mientras Meredith y Patsy desayunaban en el comedor, repasando sus notas, Claudia Miller se acercó deprisa.

—Perdón, pero tiene una llamada, Meredith. Es una tal señora Alexander.

Las dos mujeres intercambiaron una mirada de sorpresa. La Stratton se levantó de inmediato.

—Gracias, Claudia. Voy a usar el teléfono de la entrada.

—Bueno. Voy a comunicarte.

Unos segundos más tarde, Meredith decía:

—Hola. Aquí la señora Stratton.

—Buenos días, señora. Le habla Annette Alexander. Espero no haberla molestado demasiado temprano.

—No, en absoluto, señora Alexander.

—Me pareció mejor llamarla de inmediato. Acabo de recibir una información que podría serle útil. Le diré: anoche me devané los sesos tratando de recordar con quién se había casado Kate, pero no sirvió de nada. Y de pronto se me ocurrió que mi hermana debía saberlo. Ella trabajó en Place Vendôme en la misma época que Kate. Anoche la llamé, pero no estaba. Le dejé mensaje y me llamó hace diez minutos. Al parecer, Kate se casó con un hombre llamado Nigel. Dice mi hermana que el apellido era Grange o Grainger y que era veterinario. Ejercía en Middleham. Sé que es poca cosa, pero espero que le sirva.

—Por supuesto. Se lo agradezco mucho, señora Alexander. Ya que estamos, tal vez pueda decirme algo más. ¿Recuerda cuándo fue que Kate Sanderson renunció a su trabajo en Place Vendôme?

—Fue alrededor del año setenta y dos.

—Ya veo. Bueno, gracias otra vez, señora Alexander.

—Fue un placer colaborar. Si encuentra a Kate, déle muchos saludos míos.

—Con gusto. Adiós, señora Alexander.

Meredith volvió a la mesa. Patsy le clavó una mirada interrogante.

—¿Y...?

Meredith aspiró hondo, exhaló y dijo:

—Según Annette Alexander, mi madre se casó con un hombre llamado Nigel, cuyo apellido era Grange o Grainger. Era o es veterinario. Y a principios de los años setenta, cuando mi madre renunció a su empleo, vivía en Middleham.

—¡En Middleham! Por Dios, Meredith, eso está aquí nomás. Es una pequeña aldea en los páramos, a media hora de Ripon. ¿No te dije que tu madre estaba cerca?

—No podemos afirmarlo. En realidad, no sabemos qué pasó. Puede haberse divorciado. Tal vez se mudaron.

—En seguida voy a averiguar si ese hombre vive todavía por aquí —aseguró Patsy, levantándose de un brinco—. Puedo buscarlo en la guía de la zona. Si es el veterinario de Middleham, tiene que figurar.

Meredith se reclinó en la silla, mientras su amiga se alejaba con mucha decisión. Patsy estaba empeñada en hallar a Kate Sanderson, costara lo que costase. Y qué buena amiga había resultado ser. Sin ella se habría sentido perdida.

Volvió en un instante, muy satisfecha de sí. Al sentarse echó un vistazo al papel que traía.

—Se llama Grainger y vive en Middleham, sí. En la casa Tan Beck. Aquí está el número de teléfono.

Meredith tomó el papel para echarle un vistazo. Luego miró a Patsy a los ojos.

—Gracias. —Bajó la vista otra vez. —Me siento muy rara al saber que ella podría estar viviendo a pocos kilómetros de aquí.

—¿Tienes miedo de verla? —preguntó Patsy, arrugando el entrecejo.

—Creo que sí.

—Te acompañaré hasta la casa.

—Gracias, pero sería mejor que fuera sola, Patsy.

—¿No convendría que llamaras primero por teléfono?

—No estoy segura. En cierto modo, prefiero verla cara a cara sin que sepa quién soy. Si telefoneo primero tendré que dar explicaciones.

—Tienes razón. Bueno, hazlo a tu manera.

24 ∕⌒

Meredith estaba bastante turbada cuando llegó hasta la puerta de la casa Tan Beck.

Había pasado treinta minutos en el Aston-Martin de Patsy, tratando de reunir el valor necesario para entrar en busca de Kate Sanderson.

Puesto que su aprensión no hacía otra cosa que aumentar cuanto más se demoraba allí, acabó por encender el motor y retroceder por la ruta.

Al bajar del auto, un momento antes, había observado la casa de piedra, vieja y encantadora. Era sólida, pero no demasiado grande, del tipo que suele habitar un médico, un abogado o un veterinario. Estaba bien conservada, con la puerta recién pintada de blanco, los vidrios relucientes y bonitas cortinas de encaje; las flores primaverales ponían vida y color en los canteros del jardín, a cada lado del sendero de lajas.

Se detuvo frente a la puerta principal, con la mano en el llamador de bronce. El coraje estuvo a punto de fallarle. Aspiró hondo antes de golpear varias veces; luego dio un paso atrás, dispuesta a esperar.

La puerta se abrió casi de inmediato; la atendió una mujer relativamente joven, de pelo oscuro, vestida con un suéter gris y pantalones del mismo color bajo un delantal a rayas verdes.

—Sí, ¿en qué puedo serle útil? —preguntó.

—Busco a la señora Grainger. La esposa de Nigel Grainger. ¿Está en casa?

La joven asintió.

—¿La está esperando?

—No.

—¿A quién debo anunciar?

—A la señora Stratton. Me llamo Meredith Stratton. Pero ella no me conoce. Soy amiga de una amiga. Tenía la esperanza de que ella me ayudara con un problema.

—Un momento.

Dejando la puerta entreabierta, la joven cruzó deprisa el lustrado piso del pequeño vestíbulo. Volvió a los pocos segundos y la hizo pasar.

—Dice la señora Grainger que pase, por favor. En seguida viene. Está hablando por teléfono. Me dijo que la hiciera pasar a la sala.

—Gracias.

Mientras seguía a la joven, Meredith echó un rápido vistazo alrededor, deseosa de verlo todo. Reparó en un bello reloj de péndulo que ocupaba un rincón y en la colección de porcelanas azules y blancas, bien dispuestas en una consola de roble.

La joven la acompañó hasta la sala y desapareció, diciendo:

—Póngase cómoda.

Meredith quedó de pie en el centro de la habitación, observando lo acogedora que era, llena de encanto y calidez. No era grande, pero estaba decorada con buen gusto; las paredes estaban pintadas de rojo y dos de ellas tenían amplias bibliotecas de pared. La madera, de color crema oscuro, había sido pintada a mano imitando el mármol. Frente al hogar de piedra había una alfombra oriental azul y rojo oscuro. Un escritorio antiguo, instalado entre dos altas ventanas, miraba hacia el jardín trasero y un pequeño prado. Más allá se extendían los páramos y un interminable cielo azul, lleno de nubecillas blancas.

Un ruido de pasos hizo que se apartara de la ventana. Conteniendo el aliento, aguardó a que la esposa de Nigel Grainger abriera la puerta.

A la primera mirada el corazón le dio un vuelco. Ésa no era la hermosa madre joven, de los rizos rubio-rojizos y luminosos ojos azules, que ella adoraba en su infancia. La señora Grainger era una mujer de unos sesenta y dos años. Vestía pantalones de corderoy beige y una camisa blanca bajo la chaqueta azul marino. Parecía la típica matrona de campo.

La mujer vaciló en el vano de la puerta, observándola con aire interrogante.

—¿La señora Stratton?

—Sí. Mucho gusto, señora Grainger. Espero que me perdone esta intromisión, pero vengo a verla con la esperanza de que pueda ayudarme.

—Haré lo posible, aunque no sé de qué se trata. —La mujer seguía detenida en el umbral. —Usted es norteamericana, ¿verdad?

Meredith asintió.

—Iré directamente al grano, señora Grainger. Busco a una mujer llamada Kate Sanderson. Annette Alexander, de la boutique Place Vendôme, en Harrogate, me ha dado motivos para creer que ella y usted son la misma persona. ¿Es cierto?

—Bueno, sí. Soy Katharine Sanderson Grainger. Hace años

trabajé en Place Vendôme, antes de casarme. —Kate frunció el entrecejo; sus ojos volvían a reflejar esa expresión desconcertada. —Pero, ¿para qué me busca?

Meredith se puso muy nerviosa. No sabía cómo decir a Kate quién era y, por el momento, no hallaba las palabras adecuadas. Por fin dijo, con voz trémula:

—Es por... es por Mari.

Fue como si Kate Grainger hubiera recibido una fuerte bofetada en pleno rostro. Retrocedió, boquiabierta, y se aferró del marco para no perder el equilibrio. Una vez recuperado el dominio de sí hasta cierto punto, preguntó con voz tensa:

—¿Qué pasa con Mari? ¿Qué quiere usted de mí? ¿Qué quiere decirme de Mari?

—Yo... yo la conocí, señora Grainger.

—¿Usted conoció a mi nena? —exclamó Kate ansiosamente. Parecía sofocada. Dio un paso adelante.

Ahora Meredith podía observarla mejor. Reparó en lo vívido de sus ojos azules, llenos de lágrimas, y en el tono rubio-rojizo del pelo, ahora más pálido y veteado de plata; reconoció aquella cara tan amada y familiar, todavía adorable a pesar de los toques del tiempo. Y supo, con absoluta certeza, que ésa era su madre. El corazón se le oprimió imperceptiblemente, sacudido por un estremecimiento interior. Habría querido acercarse a Kate para abrazarla, pero no se atrevió. Temía el rechazo.

—Usted conoció a mi Mari —repitió la mujer—. Hábleme de ella, oh, por favor, cuénteme...

Sofocada, sin poder hablar, Meredith se limitó a inclinar la cabeza.

—¿Dónde? ¿Dónde conoció a mi pequeña? ¡Oh, por favor, señora Stratton, dígamelo! ¡Por favor!

—En Australia —respondió Meredith al fin, con voz estrangulada.

—¡En Australia! —Kate parecía indignada; dio un paso atrás, con los ojos dilatados.

—En Sydney. —Meredith no apartaba los ojos de la espantada Kate. —Ella la amaba mucho —agregó en un susurro.

La mujer alargó una mano para apoyarse en el respaldo de un sillón.

—Usted habla de ella como si... habla de ella en tiempo pasado. No me diga que... que ha muerto, ¿o sí?

—No.

—Oh, gracias a Dios —exclamó Kate, aliviada—. Hace años y años que rezo por ella todos los días. Rezo pidiendo que esté bien, que esté a salvo. Dígame algo, señora Stratton, por favor. ¿La envía ella? ¿Ella le pidió que me buscara?

—Sí.

—¿Dónde está mi Mari? Oh, dígamelo, por favor.

Las emociones de Kate estaban muy cerca de la superficie y eran visibles en su rostro tenso. ¿Quién era esa mujer que le traía noticias de Mari? Noticias de su bienamada hija, perdida por tantos años. Comenzó a temblar.

Meredith dio un paso hacia adelante para acercarse a ella. Al ver el dolor escrito en su cara, comprendió que era muy sincera. Buscó a tientas en su mente las palabras adecuadas para explicarle quién era.

Dio un paso más y miró a Kate de frente. Sin poder contenerse, murmuró:

—Soy yo... Mari.

Por un momento Kate no pudo hablar. Luego exclamó:

—¡Oh, Dios mío! ¡Oh, Dios mío! Mari, ¿eres tú, de veras?

—La tomó de la mano para acercarla a la ventana. —Deja que te mire. ¿Eres tú, Mari, después de tantos años? —Alargó una mano para tocarla tiernamente en la mejilla. —¿Eres tú de verdad, tesoro?

Las lágrimas le caían ya por la cara.

—¡Oh, Mari, Mari, has vuelto, por fin! Dios ha escuchado mis plegarias.

Meredith también lloraba. Y las dos mujeres, separadas por casi cuarenta años, se abrazaron automáticamente con fuerza. Kate sollozaba como si se le partiera el corazón.

—Me he pasado más de treinta y ocho años esperando este momento, rezando, pidiéndole a Dios que me lo concediera. Ya había perdido las esperanzas de volver a verte.

Madre e hija permanecieron abrazadas por largo rato, consolándose mutuamente y derramando lágrimas de gozo y de pesar: pesar por el pasado, por todos los años en que no habían podido estar juntas; gozo por haber vuelto a encontrarse antes de que fuera demasiado tarde.

Estaban juntas en el pequeño sofá de la biblioteca, con una bandeja de té y sándwiches en la mesa ratona. Pero ninguna de ellas había tocado los sándwiches preparados por Nellie, la joven ama de llaves.

Seguían tomadas de la mano, mirándose, estudiándose en busca de similitudes, con una especie de maravilla. Era esa peculiar sensación que experimentan las madres al ver al hijo recién nacido. Y en cierto sentido, ese día Mari volvía a nacer para Kate.

—Nunca pude aceptar esa pérdida —dijo Kate, con voz suave en la que resonaba la tristeza por aquellos años sombríos, tras haber perdido a su única hija—. Pensaba en ti todos los días, Mari; me preocupaba por ti, me moría por tenerte en los brazos.

Meredith miraba al fondo de esos ojos maravillosos.

—Lo sé, mamá, lo sé. Para mí fue siempre igual, sobre todo cuando era muy chiquita. Siempre pensaba en ti, preguntándome por qué me habías alejado de tu lado, por qué no me querías. Nunca pude entenderlo. —Se limpió las lágrimas. —¿Cómo me... perdiste? ¿Cómo fue que nos separamos?

—Fue algo terrible, que comenzó en el Hogar del Doctor Barnardo. ¿Recuerdas ese día en que me encontraste desmayada en la cocina, cuando tenías cinco años?

—Oh, sí. Fui en busca del agente O'Shea.

—Él pidió una ambulancia, me hizo internar en el hospital de Leeds y a ti te llevó a ese hogar para niños. Nunca se lo critiqué; como no teníamos familia, era lo único que podía hacer. Pasé seis semanas internada. En cuanto pude levantarme fui por ti y volvimos a casa, como siempre. Pero un año después, en la primavera de 1957, volví a enfermar. Esa vez yo misma te llevé al Hogar del Doctor Barnardo. No tenía otro sitio donde dejarte. El doctor Robertson estaba preocupado por mí y quería internarme para algunos análisis. En el hospital descubrieron que tenía tuberculosis; al parecer, había estado latente por varios años. Afloró de pronto, seguramente favorecida por la mala alimentación, las preocupaciones, la tensión nerviosa, la fatiga y un debilitamiento general. La tuberculosis es muy contagiosa, sólo por proximidad; por tu propio bien, no podías estar cerca de mí, Mari. Los médicos del hospital de Leeds me enviaron al de Seacroft, cerca de Killingbeck, para que me trataran. Estuve seis meses en cuarentena. —Kate hizo una pausa para estrechar con fuerza la mano de Meredith, mirándola a los ojos. —Te enviaba mensajes constantemente, Mari. ¿No recibiste ninguno?

—No. —Meredith sostuvo la intensa mirada de su madre.

—¿Por qué no viniste por mí al mejorar? —preguntó, con un dejo de resentimiento que reprimió de inmediato.

—¡Claro que fui! En cuanto me dieron de alta. Me estaba reponiendo y ya no era contagiosa; tomaba antibióticos, estreptomicina. Y no te encontré. La gente del Doctor Barnardo me dijo que habías sido adoptada. Fue un golpe terrible. Quedé afligida, furiosa. Y destrozada. No sabía cómo buscarte. No tenía ayuda de nadie: ni familiares ni dinero. Era como darme de cabeza contra una pared. Ellos no querían decirme nada y yo no sabía cómo recuperarte.

Kate meneó tristemente la cabeza y sacó un pañuelo para secarse los ojos.

—Estaba indefensa, impotente, Mari, y tan frustrada... Nunca pude desprenderme de esa ira; aún la llevo adentro, corroyéndome. Eso me arruinó la vida. Nunca me recuperé de tu pérdida; no he podido ser feliz ni tener paz interior. Siempre me he sentido perseguida, preocupada por ti. Mi única esperanza era que algún día, cuando fueras grande, quisieras conocer a tu madre biológica y trataras tú misma de buscarme.

Meredith, a quien esas palabras la habían llevado otra vez a las lágrimas, exclamó:

—¡Es que nadie me adoptó! Los del Hogar te mintieron. Me subieron a un barco, con un montón de chicos, y nos despacharon a todos a Australia. Fui enviada a un orfanato de Sydney.

—¡A un orfanato! —Kate, atónita, miró a Meredith con

auténtico horror. —¿Qué tenían en la cabeza? ¡Qué estupidez, sacarte de un orfanato inglés para llevarte a otro en el extremo opuesto del mundo! ¿Por qué?

Cerró los ojos por un momento y los abrió bruscamente.

—Me dijeron que te había adoptado una buena familia y que vivías en otra ciudad de Gran Bretaña. Era mi único consuelo: que te criaras entre personas que te amaran y te trataran bien. Y ahora me dices que nadie te adoptó.

Kate temblaba. Meredith trató de calmarla.

—Bueno, me adoptaron, pero no en Inglaterra, por supuesto, sino en Sydney. Cuando tenía ocho años. Y duró poco. Los Stratton murieron en un accidente dos años después. No eran buenas personas. La hermana del señor Stratton me devolvió al orfanato.

Tiesa en el sofá, aferrada a la mano de Meredith, Kate dijo, con voz temerosa:

—Los Stratton no te hicieron daño, ¿verdad? ¿Te maltrataban?

—No, pero no eran cariñosos ni amables. —Meredith miró a su madre, desconcertada. —Si tú no diste la autorización para que me enviaran a Australia, ¿cómo pudieron hacerlo? ¿El Hogar actuó sin tu consentimiento?

—Así fue. —Kate se apartó un poco para clavar en Meredith una mirada penetrante. —Tengo la impresión de que no me crees. Pero te estoy diciendo la verdad, Mari. Debes creerme.

—No es que dude, sino que no comprendo todo esto.

—Yo tampoco. Nunca he podido entenderlo. Todos estos años han sido como vivir una pesadilla.

Kate liberó su mano para levantarse y se acercó al escritorio. Sacando un gran sobre del cajón, le dio un golpecito con la mano, diciendo:

—Hace algunos años, a fines de los ochenta, leí en el *Observer* unos artículos que me llenaron de horror. Hablaban de emigrados infantiles a los que se enviaba a Australia, solos, para ponerlos en hogares o en instituciones. Entonces recé pidiendo que tú no estuvieras entre ellos. Me aferraba a la convicción de que estabas viviendo en Inglaterra, con tu familia adoptiva. Y ahora, la peor de mis pesadillas se ha hecho realidad. —Le falló la voz; estaba otra vez al borde del llanto.

—Así que fuiste uno de esos niños, Mari.

Hizo una pausa para luchar contra las lágrimas. Por fin pudo preguntar, en voz baja:

—¿Me estás diciendo la verdad, Mari? ¿No te maltrataron?

—Te aseguro que no, mamá. Vivía mentalmente angustiada; por años enteros lloré todas las noches hasta dormirme, por lo mucho que te extrañaba. Fue una niñez tan falta de amor... Además, tenía que trabajar mucho, como todos: fregar pisos, lavar montañas de ropa. Tampoco nos alimentaban muy bien. Pero no sufrí ningún maltrato físico ni sexual.

—Sólo mental y emocional —exclamó Kate, dejando aflorar el enojo—. ¡A quién se le ocurre! Enviarte con otros niñitos a veinte mil kilómetros, al otro extremo del mundo, sólo para internarte en otra institución! ¡Qué absurdo!

Volvió a sentarse en el sofá, apretando el sobre entre las manos. Por fin lo entregó a Meredith.

—Los artículos se titulaban "Hijos perdidos del Imperio". Los guardé. Léelos más tarde, si quieres. Te pondrán los pelos de punta. —Sacudió la cabeza. —No, claro que no, si tú viviste personalmente todo lo que escribió ese periodista.

—¿Por qué conservaste esos artículos?

—No sé. Más adelante, Granada Television hizo un

documental sobre los emigrados infantiles. No sabes con qué horror lo vi. Me dejó una huella terrible. Nunca he podido liberarme.

—Así que Doctor Barnardo envió a cientos de niños a Australia. ¿Es eso lo que me estás diciendo?

—No, Mari: fueron miles. Más de ciento cincuenta mil, en realidad. No fue sólo el Hogar del Doctor Barnardo. Había muchas otras instituciones de caridad que participaban en esos planes de emigración infantil.

—¿Por ejemplo? —Meredith clavó en su madre una mirada interrogante.

—El Ejército de Salvación, el National Children's Home, la Children's Society, la Fairbridge Society y otras varias agencias de asistencia social que operaban bajo la protección de la Iglesia Católica, la Anglicana, la Presbiteriana y la Escocesa.

—¡Por Dios! —exclamó Meredith, horrorizada—. ¡Era enorme!

—Temo que sí —respondió Kate—. A muchos de esos niños, sobre todo a los varones, se los obligaba a trabajar a la intemperie, bajo el sol abrasador, en todo tipo de tareas de albañilería, para construir alojamientos. Con frecuencia sufrían maltratos horribles; los curas los sodomizaban. Llevaban una vida horrible.

—Pero ¿cómo pudo suceder? El gobierno, ¿por qué no intervenía?

—¿Cómo iba a intervenir, si formaba parte de eso? Y lo que nos hicieron a nosotros, a los padres y a los niños, fue inconcebible.

—E ilegal —señaló Meredith—. ¿A nadie se le ha ocurrido demandar al gobierno británico? Tengo muchas ganas de hacerlo, por todos esos años perdidos, tan llenos de dolor.

—No sé si alguien entabló demanda. El documental provocó un revuelo enorme. Revelaba un escándalo horrendo y picó la conciencia nacional. La gente estaba indignada. El gobierno trató de negar su complicidad, pero todo el mundo se dio cuenta de que había existido complicidad.

—Pero ¿por qué se hizo?

—Era una manera fácil de poblar las colonias —explicó Kate, desdeñosa—, enviando a niños a los rincones más alejados del Imperio. Se ha hecho lo mismo por cientos de años. Aun en mil novecientos sesenta y siete seguían embarcando niños.

—¡Qué espanto! Es despreciable.

Kate asintió.

—En el sobre encontrarás un recorte del *TV Times* donde se anuncia el documental. Hay una lista de números telefónicos donde se podía pedir ayuda. Llamé a todos, Mari. Me torturaba la idea de que tú hubieras estado entre esos niños. Pregunté qué podía hacer una madre para saber si su hijo había sido incluido en esas migraciones. Me dijeron que no era posible, que los padres no podían buscar al niño. Al parecer, sólo era posible reunirse si el hijo decidía buscar a los padres perdidos.

Kate se reclinó en el sofá, con los ojos cerrados. Después de un momento observó a Meredith y por fin dijo:

—Te has convertido en una hermosa mujer, Mari. Te pareces a mi madre. Tienes la misma cara, los mismos ojos.

Para Meredith fue una gran emoción escuchar eso. Una vívida sonrisa le iluminó la cara.

—No recuerdo haber tenido una abuela.

—Murió antes de que tú nacieras: en la Segunda Guerra Mundial, durante un bombardeo aéreo. Fue mi padre el que se hizo cargo de mí, al salir del ejército. Murió cuando yo tenía diecisiete años.

—¿Y mi padre? ¿Dónde está?

—También ha muerto, Mari. Cuando tenías dieciocho meses nos abandonó para irse al Canadá con otra mujer. Me divorcié de él cuando Nigel quiso casarse conmigo.

—¿Te ha hecho feliz?

—Lo ha intentado con todas sus fuerzas, Mari. Pero no ha sido fácil vivir conmigo. Hasta cierto punto, siempre me consumió el dolor que sentía por ti. Es muy duro perder a un hijo, sobre todo de esta manera. Porque tú no habías muerto. Yo sabía que estabas en algún lugar. Ansiaba recuperarte, volver a verte. Tenía el corazón destrozado. El pobre Nigel ha tenido que soportar muchas cosas. Pero es paciente y sufrido. Un buen hombre.

—¿No tuviste otros hijos?

—Oh, no. Cuando me casé con Nigel tenía treinta y ocho años. Tal vez otro hijo me habría ayudado, no sé. Nigel era viudo; su esposa era amiga mía. Verónica, una mujer encantadora. Murió de un tumor cerebral y yo ayudé a Nigel en ese período, que fue muy duro para él. Lo consolé como pude. Cinco años después me propuso casamiento. Yo crié a sus dos hijos, Michael y Andrew. En muchos sentidos, ha sido un buen matrimonio.

—Me alegro de que tengas a una buena persona contigo. Siempre me he preguntado... ¿qué edad tenías cuando yo nací?

—Diecinueve. Este verano voy a cumplir los sesenta y tres, Mari. —Kate dejó escapar un profundo suspiro.

—¡Tantos años sin ti! ¿Cómo me encontraste? ¿Te llevó mucho tiempo?

—En realidad, no, una vez que me decidí a buscarte. Pero antes de contarte cómo fue, quiero hacerte otra pregunta.

—Las que quieras, Mari.

—¿Alguna vez me llevaste a la abadía de Fountains?

—Varias veces. Es uno de mis lugares favoritos. Como me crié en Harrogate, he pasado mucho tiempo en Ripon. Pero ¿por qué lo preguntas?

—¿A ti o a mí nos sucedió algo malo en Fountains?

—Sí. Allí empecé a sentirme mal, en la primavera del cincuenta y siete. Te había llevado de picnic y me desmayé. Sé que te asustaste mucho porque estábamos solas. Por fin recobré el sentido y, de algún modo, nos las arreglamos para volver a Ripon y tomar los dos autobuses a Harrogate y a Leeds. Era domingo. Esa misma semana me diagnosticaron tuberculosis y me enviaron a Seacroft.

—Y jamás volví a verte, ¿cierto?

—Cierto.

—Eso lo explica. —Meredith le relató sus experiencias en Fountains. —¡Con razón me despertaba esa sensación de pérdida, de algo trágico! El caso es que esa experiencia me provocó algo llamado fatiga psicogénica. La médica me derivó a una psiquiatra, con la que comencé a escarbar en mi pasado. Ella estaba segura de que yo sufría de memoria reprimida.

—¿Eso significa que reprimiste tus recuerdos de mí?

—No es exactamente así. Recordaba ciertas cosas. Pero el verme arrancada tan cruelmente de tu lado fue tan doloroso que bloqueé todo lo demás. La doctora Benson logró ponerme en el camino correcto. Pero fue Catherine, mi hija, la que provocó el recuerdo más importante. Al menos, eso creo.

—¿Tienes una hija y le pusiste mi nombre? —Exclamó Kate, radiante.

—Tiene veinticinco años. Es hermosa, con tus mismos ojos. Y con tu carácter, me parece. En realidad, le puse tu nombre sin saberlo. El de ella se escribe con ce. Pero obviamente recordaba que te llamabas Kate, Katherine. Lo tenía sepultado en el subconsciente.

—¿Cuál fue ese recuerdo que ella te despertó?

—La semana pasada, antes de partir hacia Londres, fui a visitarla para planificar su boda. Ella preparó el té y después trajo unas frutillas; entonces me dijo algo que me sacudió la memoria. Vi tu rostro con toda claridad, esa cara que había echado de menos toda mi vida. Y supe que era la cara de mi madre.

Meredith había empezado a sollozar; sacó el pañuelo para limpiarse la nariz. Kate preguntó, con los ojos húmedos:

—¿Qué fue lo que dijo Catherine?

—Unas pocas palabras, muy comunes, en realidad: "Tengo algo rico para ti, mamá. Frutillas". Y de inmediato vi tu cara; eras tú la que me estaba sirviendo frutillas. Detrás de ése vinieron otros recuerdos, sobre todo en el avión, esa misma noche.

Meredith hizo una pausa para sonarse la nariz otra vez.

—Hay algo que debo explicarte —continuó—. Siempre creí que habías muerto. Eso fue lo que me dijeron en Doctor Barnardo. Cuando recobré plenamente tu recuerdo, le conté todo a mi socia inglesa, Patsy Canton. Ella me llevó al Registro General del Londres para buscar tu certificado de defunción. Necesitaba visitar tu sepultura, ¿comprendes? Quería cerrar el pasado, por fin. Pero no había ningún certificado; así supimos que no habías muerto. Fue Patsy quien tuvo la idea de buscar mi acta de nacimiento, para obtener toda la información posible. Gracias a esos datos llegamos a Armley y a Hawthorne Cottage. Aunque la casa es ahora un montón de escombros, descubrí que conocía muy bien ese lugar y recuperé más recuerdos tuyos.

—Por suerte, me encontraste antes de que fuera demasiado tarde —murmuró Kate.

—Por suerte.

Miró con curiosidad a su hija.

—No usas alianza. ¿Estás divorciada?

—Sí. A propósito, también tienes un nieto varón. Se llama Jon y tiene veintiún años. Estudia en Yale. Me muero por presentártelos.

—Nietos —exclamó Kate, extrañada—. Tengo nietos. ¡Qué maravilla!

—Estoy muy orgullosa de ellos. Son muy buenos.

—Lo único que no me has dicho es cómo pasaste de Australia a Norteamérica.

—Ésa es una historia muy larga —respondió Meredith—. Te la contaré en otro momento. Después de todo, tenemos todo el resto de la vida por delante.

Se oyeron pasos en el vestíbulo y Meredith giró la cabeza. Vio a un hombre alto, de aspecto distinguido, que las observaba desde el vano de la puerta.

Kate, al verlo, se levantó de un salto.

—Me ha encontrado, Nigel. Después de tanto como recé. Mi nena me ha encontrado. Mari ha vuelto a mí, por fin.

—¡Gracias a Dios! —exclamó el hombre y se reunió con ellas en la biblioteca, con expresión de inmenso alivio.

Meredith se levantó con la mano extendida.

Él se la estrechó y, sin ningún preámbulo, le dio un abrazo.

—Ahora, por fin, Kate tendrá paz espiritual —dijo.

Cuando se apartaron, Meredith se encontró ante una de

las caras más bondadosas que hubiera visto jamás. Nigel Grainger la miraba con una cálida sonrisa.

—Gracias —dijo—. Gracias por cuidar tan bien a mi madre.

EPÍLOGO

TIEMPO FUTURO

—A ver, señoras, miren hacia aquí... Sonrían —dijo Jon, mirando el lente de su cámara. Luego murmuró: —No están bien. Mamá, acércate un poco más a la abuela. Tú también, Cat. Quiero tomarlas bien juntas.

—¡Oh, Jon, a ver si te apuras! ¡Quiero reunirme con mi flamante y encantador esposo! —protestó Cat.

Después de algunos ajustes, el hermano inició la filmación.

—Bueno, ya está —exclamó pocos minutos después—. No era para tanto, ¿verdad, Cat? Ahora tengo una hermosa serie de instantáneas para el álbum de la abuela. Y para ti, si las quieres. ¡Tres generaciones de mujeres! Nunca soñé ver algo así.

Cat le ofreció una sonrisa cariñosa.

—Tengo el pálpito de que tus fotos me van a gustar más que las del fotógrafo profesional.

Él sonrió de oreja a oreja.

—Anda, corre, vete con tu maridito. Dentro de algunos minutos esto será un caos, en cuanto el clan Pearson caiga sobre nosotros como manga de langostas.

—¡Eh, cuidado con lo que dices! —protestó Cat, agitando la mano para exhibir su alianza—. No olvides que, a partir de ahora, yo también soy una Pearson. —Se acercó para darle un beso afectuoso en la mejilla. —Gracias por oficiar de padrino, Jon.

—¿Estuve bien?

—Estupendo. —Entre risas, se alejó flotando en una nube de seda blanca y tules, en busca de Keith, que conversaba con su padre en el vestíbulo de la hostería.

Jon se acercó a Kate y a Meredith, diciendo:

—La ceremonia fue estupenda, mamá, y ese viejo granero resultó muy efectivo como iglesia. Supongo que fue gracias a tu decoración, con toda esa seda blanca y esas guirnaldas de flores blancas.

—Gracias, querido. A mí también me gustó el resultado.

Kate murmuró, sonriendo a su hija y a su nieto:

—La ceremonia fue muy conmovedora. Debo admitir que lloré.

—Casi todas las mujeres lloran en las bodas, abuela. —Jon le apretó el brazo. —Y tú eres la frutilla del postre. No sabes cómo me alegro de que mamá te haya encontrado.

—Oh, yo también.

—Bueno, voy a tomar algo con los muchachos —anunció Jon, alejándose.

—¿Con los muchachos? —repitió Meredith, enarcando una ceja—. ¿De quiénes hablas?

—De Luc y Nigel. Acaban de entrar.

Se fue a grandes pasos, dejando a Meredith y a Kate junto a la entrada del comedor.

Las dos estaban elegantes: Kate, con un vestido de lana rosa oscuro; Meredith, de vestido y chaqueta azul agrisado. Al verlas así, juntas, era fácil reconocerlas como madre e hija. Había un gran parecido entre ambas, aunque Meredith era más alta.

Aquel segundo sábado de octubre había caído en el veranillo de San Martín. El cielo mostraba un azul cerúleo, claro y sin nubes, colmado de sol intenso. El follaje de Silver Lake era espectacular. Los árboles eran una masa alborotada de rojos y rosados, castaños y dorados.

—No podríamos haber pedido un día mejor —comentó Kate, mirando por la ventana hacia el lago—. Es perfecto para la boda.

—Hemos tenido suerte, aunque Connecticut suele ser encantador en octubre. —Meredith tomó a su madre del brazo para llevarla al comedor, que habían ampliado para albergar a quienes asistirían a la boda. —Entremos por un momento, mamá. Quiero decirte algo.

Kate le arrojó una mirada de preocupación.

—¿Algo malo? Estás muy seria.

Meredith sacudió la cabeza.

—No. Sólo quiero darte las gracias por haber estado aquí en estas dos últimas semanas, por lo mucho que me ayudaste con la boda de Cat. Has hecho maravillas.

—Debería ser yo quien te diera las gracias, Mari —replicó Kate. De inmediato hizo un mohín. —Jamás podré llamarte de otro modo. Para mí eres Mari.

—Está bien. Comprendo.

—Nunca imaginé algo así —comentó súbitamente la madre—. Que pudiera pasar este tiempo precioso contigo. No sabes lo importante que ha sido para mí.

—Oh, creo que lo sé.

—Me has mimado en exceso, Mari, y a Nigel también. Los viajes a París, al Loira, a Nueva York... Después de pasarnos la vida en Yorkshire, casi sin salir de allí, hasta que tú volviste a mi vida.

Meredith no hizo comentarios; se limitó a tocarla con afecto en el brazo. Aún le costaba creer que hubiera recuperado a su madre, después de tantos años.

Kate volvió a mirar por la ventana, pensativa; finalmente se volvió hacia ella.

—Silver Lake es hermoso, muy parecido a Yorkshire. Me alegro de que hayas llegado aquí cuando eras jovencita. Se diría que fue obra de tu ángel guardián.

—Tal vez así fue.

—Sí, tuviste suerte al conocer a Amelia y a Jack, al tenerlos contigo siquiera por unos pocos años. Ellos compensaron tus sufrimientos anteriores, Mari, esa niñez sin amor en el orfanato de Australia. Junto a ellos tuviste amor, bondad y atenciones. Es algo que voy a agradecer toda mi vida. Ellos te ayudaron a ser lo que eres hoy.

—Quién sabe en qué me habría convertido si no hubiera sido por ellos. En un desastre, quizá.

—Quizá no. Nunca se sabe. Pero creo que en ti hay algo especial: la voluntad de sobrevivir, de triunfar a pesar de todo.

Meredith se inclinó para darle un beso en la mejilla.

—Te amo, mamá.

—Y yo a ti, Mari.

Las dos cruzaron el comedor con los brazos entrelazados. Antes de llegar a la puerta, Kate agregó:

—Va a ser muy penoso separarme de ti. Lástima que vivamos tan lejos.

Meredith guardó silencio. Kate le echó una mirada, agregando:

—Ya sé que me invitaste a visitarte cuando quiera. Pero no puedo dejar solo a Nigel. Y él no siempre va a poder acompañarme, Mari; tiene su trabajo.

—En realidad —comentó Meredith— no voy a estar tan lejos, después de todo.

—¿Cómo?

Echó un vistazo al vestíbulo de la hostería, ya atestado de huéspedes. Una pequeña sonrisa le aleteó en la boca. Kate, al notarlo, siguió la dirección de su mirada.

—Voy a casarme con él, mamá —dijo Meredith, con los ojos fijos en Luc—. Así que me mudaré a París. Estaré a un par de horas de Yorkshire.

—Oh, querida, cuánto me alegro por ti. ¡Te felicito! —Después de una breve pausa, Kate agregó, preocupada: —Pero ¿qué pasará aquí con tu empresa? Es tan importante para ti...

—Ahora que he vendido la hostería de Vermont sólo queda la de Silver Lake. Blanche y Pete la administran desde hace años y lo hacen muy bien. Continuarán ellos. Yo voy a estar demasiado ocupada con las hosterías de Inglaterra y Francia.

—Me alegra que hayas podido resolver esa cuestión. Luc es un hombre estupendo.

—Él también ha tenido sus padecimientos, mamá. Creo que los dos merecemos un descanso, un poco de felicidad... —Meredith se interrumpió al ver que Luc se acercaba.

El francés rodeó a Kate con un brazo, diciéndole:

—Desde que nos conocimos, en junio, he tenido la sensación de que la conocía, Kate. Hace un momento comprendí por qué: me recuerda a mi abuela, la mujer que me crió.

"La abuela Rose, por supuesto", pensó Meredith recordando el retrato de Talcy. Tenían el mismo color de pelo, los mismos ojos azules, la misma cara en forma de corazón.

—Qué encanto —murmuró Kate. Y agregó: —Me he enterado de que debo felicitarlos. Me alegra mucho saber que ustedes dos van a casarse.

Luc la miró con una gran sonrisa.

—Ah, conque Meredith le dio la buena noticia.

Ella se disculpó, con intención de dejarlos solos, y cruzó la habitación en busca de su esposo; iba como flotando en el aire. Se sentía feliz y orgullosa. ¿Quién hubiera imaginado que su pequeña Mari resultaría ser una mujer tan notable?

Luc tomó a Meredith de la mano y la miró en lo profundo de los ojos verdes.

—Hoy se te ve muy serena, *chérie*. Me alegra el corazón verte tan feliz. Desde el momento en que te conocí, quise borrarte esa tristeza de los ojos, calmar el dolor que adivinaba en ti. Pero ahora no hace falta. Creo que todo eso desapareció cuando encontraste a tu madre.

Meredith tardó un segundo en responder. Se limitó a sostenerle la mirada penetrante. Por fin dijo:

—Desapareció cuando los encontré a ustedes dos, Luc. Tú y ella me hacen sentir completa, íntegra.

Él le sonrió.

—Es porque te amamos.

La tomó del brazo y ambos se unieron a la multitud de invitados a la boda.

Barbara Taylor Bradford nació en Leeds, Yorkshire. A los veinte años ya había llegado a la meca del periodismo londinense como correctora y columnista. En 1979 escribió su primera novela, *A Woman of Substance,* que fue un auténtico éxito de ventas y a la que siguieron otras diez novelas, también best-sellers de gran repercusión. Nueve de ellas se han convertido en miniseries de televisión.

Con una venta internacional superior a los 55 millones de ejemplares en 88 países, el nombre de Barbara Taylor Bradford ocupa sin duda un lugar reconocido entre las grandes autoras del género romántico contemporáneo.

En la actualidad vive en la ciudad de Nueva York y en Connecticut con su esposo, el productor cinematográfico Robert Bradford.

LO QUE SABEMOS DEL CIELO

Anna T. Villegas

Anna T. Villegas ha logrado con ésta, su primera novela, un pequeño milagro: ha escrito un relato que será recordado como *la más emotiva historia de amor publicada en los últimos tiempos.*

Austin Barclay, hastiado de su vida en Nueva York donde ejerce como abogado, decide mudarse a un pueblo de California para emprender una nueva etapa como profesor de derecho y recuperar el gusto por las cosas sencillas de la vida.

Dolores Meredith es dueña de una inmobiliaria, enamorada de su profesión, que se ufana de saber encontrar la casa adecuada al espíritu de cada persona; pero hasta ahora jamás pudo encontrar el hombre ideal y esconde en lo más profundo de sí una vocación temprana de escritora.

Austin y Dolores descubren el uno en el otro al ser que siempre han buscado, un refugio común lleno de sensibilidad y amor. Sin embargo, un accidente fortuito abre ante ellos un mundo amenazante de soledad: tal vez la pérdida del amor.

Una historia escrita en un estilo rico y cautivante que atrapa capítulo a capítulo hasta un desenlace memorable.